COMME L'OR
PURIFIÉ PAR LE FEU

DU MEME AUTEUR

Toumliline. A la recherche de Dieu au service de l'Afrique.
Editions du Cerf, 1961.

La Liberté souffre violence. Plon 1982. (Prix Saint-Simon.)

ELISABETH DE MIRIBEL

COMME L'OR
PURIFIÉ PAR LE FEU

Edith Stein 1891-1942

Préface de Christian Chabanis

PLON
8, rue Garancière
PARIS

© Editions du Seuil, 1954, et Librairie Plon, 1984,
pour la présente édition.

ISBN 2-259-01126-8

A Marthe Schnell Paulus

Le mal est tel, que la seule chose qu'on ait sous la main pour y remédier, et qui enivre le saint de liberté, d'exultation et d'amour, est de tout donner, tout abandonner, et la douceur du monde, et ce qui est bon, et ce qui est meilleur, et ce qui est permis, pour être libre d'être avec Dieu : c'est d'être totalement dépouillé et donné afin de se saisir du pouvoir de la Croix, c'est de mourir pour ceux qu'il aime.

JACQUES MARITAIN.

Ce ne sont pas les achèvements humains qui nous viendront en aide mais la Passion du Christ ; mon désir est d'y prendre part.

EDITH STEIN.

PRÉFACE

Avant d'ouvrir un dialogue avec son lecteur, un grand livre est un dialogue de l'auteur avec lui-même. Quelquefois par un tiers interposé, comme c'est ici le cas. Ne nous y trompons pas : ce livre est à deux voix. Celle d'Edith Stein, certes, une voix incomparable qui se confond avec une destinée transparente. Mais la voix d'Elisabeth de Miribel, aussi, qui dit ailleurs [1] : « Elle avait suivi jusqu'au terme un chemin trop rude pour moi. Mais j'étais sûre qu'il en existait d'autres et que je trouverais le mien. » Sous-entendu : par son intercession lumineuse. Leur dialogue se tient, on le voit, au plan de la destinée profonde de l'une et de l'autre, et il nous invite, dans le même élan, à situer notre propre dialogue avec elles, en ce même lieu.

Jamais leurs chemins ne se sont croisés en ce monde, et nous ne connaîtrons jamais, non plus, ce bonheur de rencontrer Edith Stein, comme certains des témoins qui rapportent leurs souvenirs dans ces pages, avant de disparaître à leur tour. Mais il n'y a pas là un obstacle, car la rencontre d'Edith Stein, pour Elisabeth de Miribel comme pour nous, est justement située là où elle se révèle inépuisable, au-delà

---

1. Elisabeth de MIRIBEL, la Liberté souffre violence, Plon, p. 241.

*des brèves rencontres dans le temps. Edith Stein est un de
ces êtres dont on se dit qu'on aurait voulu la connaître, mais
pour s'apercevoir aussitôt qu'on la connaît mieux que tel de
nos proches avec qui le dialogue n'a jamais dépassé le seuil
des paroles conventionnelles.*

*Son destin était appelé à s'accomplir à l'heure noire où le
nazisme sévissait dans toute l'horreur de son emprise. On ne
dira donc pas que les événements lui ont été favorables, et
l'existence facile. Le monde découvrait, comme à nu, le mal
obscur qui l'habite toujours et sa puissance infernale sur
le sort des hommes. Un mal si grand qu'il paraît d'abord sans
contrepartie. Tout le mal du monde. Mais cette explosion
de mal semble susciter comme une explosion de bien. Le
combat irréductible entre la force maligne, et celle de la
lumière, révèle ici, certes l'horreur, mais aussi l'héroïsme au
milieu de l'horreur. Feutré, camouflé en d'autres temps et
d'autres circonstances, il prend soudain une dimension éclatante. Des millions de bourreaux pour des millions de victimes ; des millions d'anonymes abandonnés à l'immense
cohorte d'une humanité à la dérive. Et soudain, un nom pour
l'horreur : Hitler, mais un nom pour la lumière : Edith Stein.*

*Elle avait depuis longtemps choisi son camp, ou plutôt
de répondre à sa vocation éternelle. « Il me semble qu'il y a
des siècles que je l'ai connue ! Et pourtant ces longues années
d'horreur et de catastrophe n'ont pas réussi à effacer son
souvenir. Bien au contraire, son image paraît par contraste
rayonner d'une lumière plus vive... »* Par contraste : *l'âme
et la vie d'Edith Stein sont le lieu où le contraste, entre
l'horreur d'un mal qui semble sans remède et le bien qui
pourtant le dénoue, est mis à nu dans toute l'étendue de son
mystère. Mais d'abord de son scandale.*

*Elle n'est pas seulement victime du mal ; elle ne se
borne pas à le subir — encore moins, évidemment, à l'épouser —, mais elle lui fait paradoxalement contrepoids dans
sa faiblesse même. Les composantes de son destin sont
à tous égards si singulières, qu'elles ne finiront jamais d'être
révélatrices de cette autre puissance qui travaille le monde,
et qui se montre à nu quand le mal est soudain terrassé*

un instant ; suspendu dans sa fonction négatrice. Son secret est là : Edith Stein se tient au cœur du mystère d'iniquité ; elle en boit la coupe jusqu'à la lie, et non seulement ne la fuit pas, mais s'installe au centre de l'enfer.

Et pourtant, le témoignage qui monte d'elle est celui d'un amour, d'une paix irrépressibles. « ..Dès qu'on l'abordait en personne, une indescriptible douceur illuminait ses yeux (...) Il y avait quelque chose d'incomparable dans ce visage au front haut, plein de sagesse, aux traits enfantins merveilleusement expressifs — un rayonnement paisible — que l'on ne se lassait pas de contempler. » Par contraste, *le mot de l'ancienne pensionnaire de Spire qui a rencontré là Edith Stein résume tout : elle est un signe de contradiction offert à la déréliction, pour en inverser le cours et le sens.*

Si dans le déferlement du mal, le mal seul avait submergé le monde, il ne resterait aujourd'hui qu'à s'adonner au désespoir. Et peut-être à céder aussi à la malignité. Pourquoi ces visions insoutenables n'ont-elles pas à jamais fermé l'horizon humain ? On pourrait conclure sur elles. Mais ce qui nous l'interdit, Jean Rostand me le résumait un jour en quelques phrases : « ... Le bien m'étonne. Qu'il apparaisse quelquefois, comme le dit Schopenhauer, le miracle de la pitié. C'est plutôt lui qui me ferait douter que tout n'est pas moléculaire. La présence du mal ne me gêne pas, mais ces petits éclairs de bonté, ces éclairs de pitié, sont pour moi un grand problème. » Il y a en effet tant d'horreur au monde que l'on finirait par s'en faire une raison — ou une déraison ! Le problème que pose l'existence d'Edith Stein, et qu'Elisabeth de Miribel découvre dans la parenté de leur destinée profonde, c'est celui du mal qui ne vient pas à bout du bien, quels que soient les attentats qu'il puisse perpétrer contre lui. Du souffle noir qui n'éteint pas la flamme ultime. Elle se tient au sein de l'une des nuits les plus sombres du monde, non pour en rendre l'obscurité plus épaisse, et le destin des hommes plus lourd, en se livrant à la stérilité d'un regret indéfini, mais pour révéler soudain la grâce mystérieuse qui sourd de la pesanteur même.

Certes, ce livre accorde aux exigences d'une biographie
ce qu'il leur doit : il marque par des dates, des lieux, des
textes, les étapes d'une existence que l'on voit d'emblée livrée
à l'épreuve, mais également bénie au plus intime de son
cheminement. Edith est la septième enfant d'une très belle
famille juive — quelle plus noble chance ? —, mais elle
n'a pas deux ans que son père meurt, en 1893. Il lui reste
l'admirable figure de sa mère qui nourrit son enfance, d'un
courage exemplaire dans l'adversité, et d'une foi judaïque
dont elle admirera toujours la profondeur. Lorsqu'elle s'étei-
gnit à quatre-vingt-huit ans, « des amis bien intentionnés
crurent devoir consoler sa fille religieuse en lui suggérant
que Mme Stein était devenue catholique peu de temps avant
sa mort », nous dit Elisabeth de Miribel. « Ils reçurent cette
simple réponse : " La nouvelle de la conversion de ma mère
est une rumeur sans fondement... La foi inébranlable qui
soutint sa vie entière ne lui aura pas fait défaut à l'heure
de sa mort. " » Voilà qui dit l'altitude de leurs relations,
même après la tourmente que la conversion d'Edith a jetée
dans la famille.

Nous sont rappelées aussi les heures glorieuses d'une
ascension intellectuelle qui conduit, en quelques années, la
brillante étudiante en philosophie aux fonctions les plus en
vue de l'Université allemande. Son nom restera lié étroitement à celui de Husserl comme celui du maître au disciple
préféré, devenu maître à son tour. Elle participe aux débats
de la phénoménologie naissante, où elle révèle une supério-
rité d'esprit, un sens pédagogique, qui la feront regretter de
tous, élèves et professeurs, quand elle décidera de quitter le
monde de la seule pensée. Elisabeth de Miribel rappelle
consciencieusement quelques temps forts de cette activité
intellectuelle intense, mais ce qu'il importe plutôt de souligner ici, c'est qu'Edith Stein n'en est jamais restée à ces
vains débats d'idées où se complaît la stérilité, et qui n'engagent pas la personne. « Nous devinions en elle quelque chose
de très rare : la totale harmonie entre l'enseignement et la
vie personnelle... »

Elle salue en effet en Husserl « le philosophe, le maître

*incontesté de notre temps », parce qu'il rappelle lui-même
que « la vérité est un absolu ». Quand il précise : « Ce n'est
pas ce que disent les psychologues : ils voudraient la faire
dépendre de celui qui pense », elle reconnaît sa propre
déception devant les limites d'une psychologie qu'elle a pratiquée aussi. En écho, le jugement de Husserl sur Edith,
éloge suprême : « En elle, dit-il, tout est absolument vrai. »
Dans cette brillante carrière universitaire où elle aurait toutes
raisons de se féliciter d'une réussite exceptionnelle, percent
des préoccupations autrement profondes. Elle n'est pas de
ceux ou celles qui font seulement une carrière, mais qui
vivent une destinée.*

*Mme Stein se trompait qui « redoutait l'influence des
théories sceptiques et libérales sur sa fille ». Certes, Edith
Stein elle-même confesse avoir été athée jusqu'à vingt et un
ans, « ne pouvant se résoudre à croire en l'existence de
Dieu ». Elle n'accompagnait alors sa mère à la synagogue
que « pour ne pas la contrarier ». Mais l'exigence qu'elle-
même, en son enfance, a fait lever en elle, regarde beaucoup
plus loin que les élégances ou les détresses du scepticisme.
Si les cours de Max Scheler bientôt la passionnent, la raison
en est claire : « Pour moi, comme pour beaucoup d'autres,
son influence s'étendit bien au-delà du domaine de la philosophie... Il était rempli d'idées chrétiennes et savait les
exposer (...) Ce fut pour moi la révélation d'un univers jusque-là totalement inconnu. » Une révélation qui ne finira
plus, et qui, passant par la conversion, la conduira au don
total d'elle-même, dans la vie religieuse du Carmel d'abord,
dans le martyre, ensuite.*

*Elisabeth de Miribel l'accompagne ici pas à pas, avec
une pénétration aiguë de ce que représente une telle démarche, où la vie intérieure l'emporte sur la vie publique, et
même la vie privée. Leur dialogue, c'est-à-dire ce livre lui-
même, ne prend sa véritable dimension que dans cette rencontre spirituelle. Sans elle, ces pages seraient comme il y en
a mille ; avec elle, il est unique et irremplaçable pour la
connaissance profonde d'Edith Stein. On sent bien qu'en-*

semble elles s'interrogent sur cela seul au monde, qui peut changer quelque chose dans une vie ; la convertir.

D'autant que la conversion d'Edith n'est pas seulement la sienne. Elle se situe au cœur du mystère d'Israël et n'invite pas le juif seul mais le chrétien à approfondir ce mystère qu'Edith Stein a vécu dans son plus intime déchirement. Il y aura bientôt vingt ans, j'avais réuni André Chouraqui et Jean Daniélou[1] dans un dialogue essentiel, le seul qui vaille que l'on s'y engage. Aux mots de Chouraqui, évoquant une « transcendance » sans laquelle « il est impossible, à son sens, de comprendre Israël », et récusant aussi bien Sartre que Memmi lorsqu'ils expliquent également le « fait judaïque par sa contrepartie négative, l'antisémitisme », fait écho Daniélou affirmant : « Le juif (...) est quelqu'un d'exceptionnel (...) non pas par quelque chose qu'il tirerait de son ethnicité juive (...) mais parce qu'il a été l'objet de l'élection en Abraham, de l'Alliance contractée par le vrai Dieu, l'unique Dieu, celui que nous confessons aussi... » J'ai gardé un souvenir brûlant de ce tête-à-tête.

Ce qu'Elisabeth de Miribel nous rapporte du dialogue entre Edith Stein et sa mère, c'est-à-dire entre Edith Stein et elle-même, à l'heure de sa conversion, atteint au pathétique. Jean Daniélou touchait au cœur de l'éternel débat lorsqu'il précisait : « Jésus revendiquait une autorité par laquelle il se mettait sur le même plan que Yahvé lui-même (...) Pour un juif, ou Jésus est un blasphémateur — et alors, en effet, il doit être rejeté — ou il se trouve, comme le confessent les chrétiens, qu'il est vraiment celui qu'annonçaient les prophètes de l'Ancien Testament. » A quoi fait écho le dialogue entre Mme Stein et sa fille au sortir de la synagogue :

« Le sermon n'était-il pas beau ?

— Mais si.

— On peut donc être pieux, tout en restant juif ?

— Certainement, si l'on ne connaît pas autre chose.

— Pourquoi donc as-tu appris autre chose ? dit-elle avec

---

1. Jean Daniélou et André Chouraqui, *les Juifs*, Beauchesne.

PREFACE   VII

désespoir. Et elle ajouta : je n'ai rien contre lui... Il se peut
qu'il ait été un homme très bon. Mais pourquoi s'est-il fait
semblable à Dieu ? »

Bien qu'elle manifeste une discrétion et une pudeur
exceptionnelles quant aux événements de sa vie intérieure,
quelques paroles d'Edith Stein éclairent un peu cet instant
mystérieux où une existence se retourne vers sa Source et
la regarde. Notamment celle-ci, tellement éloquente en sa
brièveté : « J'ai dû franchir le pas seule et totalement plongée
dans la nuit de la foi. » Elle ajoute : « Souvent, au cours de
ces semaines si rudes, je me suis demandé laquelle de nous
deux, de maman ou de moi, y laisserait la santé. Mais nous
avons tenu bon l'une et l'autre jusqu'au dernier jour. »

Elle est baptisée le 1ᵉʳ janvier 1922. Elle a trente ans.
Mais il ne s'agit que du premier pas. Déjà elle entend un
autre appel, à une vie contemplative, auquel elle mettra
plus de dix années à répondre, retenue qu'elle est par ses
conseillers spirituels eux-mêmes, qui lui font un devoir de
tenir à la disposition de tous ses connaissances et sa culture
exceptionnelles. « Dès qu'il me fut impossible de la retenir
dans le monde, elle courut tout droit au Carmel », dit si
bien dom Walzer, qui sait comment toute l'âme d'Edith s'y
portait depuis longtemps.

Pourquoi le Carmel, quand il existe des congrégations
religieuses plus propres, semble-t-il, à tenir compte de ses
richesses intellectuelles autant que de sa vocation au don
total ? Pourquoi ce sacrifice et ce dépouillement extrêmes ?
Non seulement parce que sa conversion est placée sous le
signe de Thérèse d'Avila, mais sans doute parce que — et
tous les témoignages concordent en ce sens — au centre de
sa destinée se tient une disposition surnaturelle à pénétrer
le sens profond du silence. Paradoxalement, elle si douée
pour une parole rare l'est plus encore pour entrer dans cette
autre dimension de l'univers, que le monde de la parole
comprend si mal : le silence.

Il me semble que dans le silence infini où elle est entrée
avec sa conversion, et plus profondément encore au Carmel,
Edith Stein nous livre un message plus essentiel que celui

de toutes ses œuvres. Les plus belles sont justement celles qui laissent transparaître le plus clairement ce silence, et c'est en lui qu'elle nous invite, en fait, à recevoir le signe offert au monde par son destin exemplaire. Déjà, alors qu'elle enseigne encore à des publics nombreux et fascinés, elle confie : « *Si je ne me sentais tenue de parler des choses surnaturelles, rien ne me déciderait à monter à la tribune.* » *Et plus profondément encore, dans le terrible débat qui l'oppose à sa mère et au judaïsme de sa famille, c'est au silence toujours qu'elle demande de surmonter cette opposition radicale. Non pas un silence méprisant de qui se résout à rompre le débat, mais afin d'intérioriser le dialogue dans une parole qui n'est plus qu'une prière :* « *Tandis que la discussion s'avère impuissante, la pressante nécessité de l'holocauste s'impose à moi...* »

C'est bien ce silence d'un dialogue plus essentiel qui l'appelle à franchir les grilles du cloître. Là, elle n'est plus attentive qu'à l'autre face de l'histoire dont détournent les occupations et les entretiens du monde : « *Dans le silencieux dialogue des âmes consacrées avec leur Seigneur, sont préparés les événements immenses du déroulement visible de la vie de l'Eglise, dit-elle, qui renouvellent la face de la terre.* » *Elle n'entre pas seulement au cœur de son propre destin, mais de celui du monde. Alors elle semble disparaître à nos yeux, s'effacer dans une action invisible comme celle de Dieu, mais décisive comme la sienne.* « *Le récit de l'histoire passe sous silence ces forces invisibles et inestimables* », *dit-elle, mais elle sait que le cloître leur est attentif, et cultive avant tout cette attention. Pas seulement le cloître : son très beau texte,* les Voies du Silence, *est adressé à un cercle de femmes catholiques qui vivent dans le monde, et alors qu'elle-même ne l'a pas encore quitté.*

Il est constant, du côté du monde, d'accuser pourtant de fuite ceux et celles qui s'engagent ainsi dans une retraite perpétuelle où bien peu oseraient les suivre. Mais quand il s'agit d'Edith Stein, le reproche prend un accent plus cruel. Son beau-frère Biberstein laisse percer une accusation qui a pesé aussi sur beaucoup d'autres conversions des années

*trente. « Mon entrée au couvent, au moment précis où les
Juifs souffraient persécution, lui semblait causer une rupture
entre notre peuple et moi. » Or c'est ici, au Carmel, que
va s'affirmer pourtant sa relation la plus étroite, non seulement avec sa foi chrétienne, mais avec son peuple lui-même.
La destinée de sœur Bénédicte place soudain le sacrifice de
ce peuple, ses millions de persécutés et de victimes, là où
elle seule était en mesure de le situer. Elle lui confère en
sa propre vie — et en sa propre mort — une dimension qui
l'accomplit au-delà de la seule souffrance. « Je m'adressais
intérieurement au Seigneur, lui disant que je savais que
c'était sa croix à lui qui était imposée à notre peuple. La
plupart des juifs ne reconnaissaient pas le Sauveur, mais
n'incombait-il pas à ceux qui comprenaient, de porter cette
croix ? C'est ce que je désirais faire. Je lui demandais seulement de me montrer comment. Tandis que la cérémonie
s'achevait dans la chapelle, je reçus la certitude intime que
j'étais exaucée. J'ignorais cependant sous quel mode la Croix
me serait donnée. »*

*Texte capital, qui éclaire du jour le plus clair ses années
de vie religieuse certes, où elle se révèle « comme chez elle »
dans la vie carmélitaine, mais plus encore son martyre. Personne n'a sans doute plus étroitement qu'elle uni dans sa
propre chair la mort ignominieuse du Christ sur la croix, et
les morts horribles de ses frères de sang dans les chambres
à gaz nazies. C'est en cette lumière qu'il importe de regarder
sa consécration à la prière et à la contemplation, et cet autre
silence dans lequel elle s'abîme quand elle part pour Auschwitz dans les wagons plombés. « Lorsque sœur Bénédicte
pénétra dans les locaux de la Gestapo, elle s'écria, sous
l'impulsion d'une force intérieure : « Loué soit Jésus-
Christ !... » Elle sait qu'elle atteint à ce baptême de sang
partagé avec son peuple, mais avec son Seigneur. Le
9 août 1942.*

*Si les derniers instants du père Maximilien Kolbe nous
sont connus, ceux de sœur Bénédicte de la Croix appartien-
nent à ce silence auquel la brillante oratrice, la philosophe
insigne s'était résolue et vouée. C'est en lui qu'elle nous*

attend, et je n'aurais certes pas eu l'audace de le rompre, si l'amitié d'Elisabeth de Miribel ne m'avait pressé d'ajouter quelques mots à un livre qui se suffit pourtant à lui-même. A une vie qui se suffit à elle-même, si profondément cachée en Dieu que l'on éprouve quelque honte à toucher à son mystère. Qu'Elisabeth l'ait fait : on ne s'en étonne pas, elle qui appartient aussi, quoique présentement dans le monde, à ce silence qu'Edith Stein partage avec tous ceux qui l'approchent. Elle en a respecté et épousé la plénitude, et les mots ne lui sont venus que pour nous y conduire. Des mots nus, des phrases dépouillées de tout artifice, et qui disent pourtant l'indicible. On ne pouvait écrire de livre qui aille plus loin qu'un livre.

Christian CHABANIS.

Tu ouvriras ce petit livre, lecteur, avec respect : ce n'est pas une œuvre « d'art » qu'on puisse apprécier en usant des critères habituels à la littérature, mais un témoignage qui doit se lire comme nous lisons les Actes *des plus anciens martyrs, ces textes tout proches de la vie où nous allons recueillir — comme leurs contemporains ont recueilli leur sang — le message exemplaire de ces héros de la Grâce.*

On retrouvera ici le même accent d'authenticité, la même fidélité rigoureuse à la vérité : cette œuvre de piété et d'amour est aussi, est d'abord, un livre d'histoire. La moniale française qui nous retrace la vie et l'âme de sœur Bénédicte de la Croix a su répondre à l'exigence impérieuse qu'impose à l'hagiographe la mentalité de notre temps : être vrai, ne rien ajouter au réel, ni rien en retrancher, nous mettre en contact avec l'humanité totale du Saint (car, pour être reconnu comme notre frère, il doit avoir été un homme comme nous), résister à cette stylisation idéaliste qui, sous sa forme caricaturale, conduit à « Saint-Sulpice » mais qui est bien une tendance naturelle, issue de la vénération. L'un des grands mérites de cette biographie me paraît être justement d'être intervenue à temps pour couper court à la légende « Edith Stein » qui n'aurait pas manqué de se développer — les

*symptômes s'en percevaient déjà — non sans altérer et ternir
le rayonnement de cette pure mémoire.*

Ayant pris pour point de départ la première Vie *publiée
par la R. M. Prieure du Carmel de Cologne, l'auteur a cherché
à préciser ce récit, déjà si direct et si autorisé, en le complétant par d'autres témoignages, recueillis auprès des parents
survivants et des amis d'Edith Stein — juifs, chrétiens ou
incroyants, mais tous également comme illuminés par l'éclat
de leur rencontre avec cette grande âme ; on trouvera ces
attestations à leur place, insérées directement, et il faut
savoir gré à l'auteur de nous les avoir conservées telles quelles, pour leur valeur profonde et leur sincérité ; entre toutes,
on accueillera avec une particulière gratitude le témoignage
de Dom Raphaël Walzer, ancien Abbé de Beuron, aujour-
d'hui Prieur de Tlemcen, pour l'autorité qui s'attache à un
esprit d'une telle rectitude, je dirai plus : qui s'attache à un
confesseur de la Foi.*

*Il te faudra, lecteur français, surmonter la première
impression d'exotisme et de dépaysement que ne peut manquer de te procurer le contact avec cette destinée qui s'insère
dans un milieu culturel, dans un monde si différent du nôtre,
si lointain déjà — disparu : Breslau, où est née Edith Stein,
est redevenu Wroclaw, et le peuple allemand a douloureusement appris, sous la pluie de feu des bombardements apo-
calyptiques et dans l'amertume de l'exil, qu'il n'était, lui
aussi, qu'un pèlerin et un étranger sur cette terre silésienne
— cette patrie que la fureur démoniaque des Nazis préten-
dait refuser à ces familles juives pourtant enracinées peut-
être aussi anciennement, de toute façon aussi profondément,
que les colons allemands de ce pays.*

*Monde disparu que ce milieu d'étudiants et de philoso-
phes à la mode de la vieille Allemagne : comment ne pas
souligner là aussi la volonté destructive avec laquelle, dans
leur frénésie antisémitique, les Nazis ont exterminé l'élite,
d'origine si largement israélite, sur laquelle reposait la tradition, et la grandeur, philosophique allemande : « Juifs », au
sens hitlérien du mot qui niait le baptême, les maîtres d'Edith*

Stein, Stern, Hönigswald, Ad. Reinach, Husserl, comme Edith Stein elle-même et tant de ses condisciples.

Monde lointain pour nous que ce milieu universitaire de Göttingen, son pédantisme innocent (qui ne sourit en écoutant Husserl accueillir sa jeune étudiante en lui demandant : « Avez-vous lu quelque chose de moi ? »), ce sérieux imperturbé, ces étudiants si ardents à spéculer qu'ils prennent pour cendrier le sucrier du baron, ou qu'ils consument la nuit à reconstruire le monde — quitte à somnoler au cours du lendemain...

Mais tu devras dépasser ce pittoresque inévitable pour atteindre au-delà et reconnaître la personnalité même d'Edith Stein et son authentique grandeur. Et d'abord sa grandeur proprement humaine. Il n'y a là rien qui puisse surprendre un lecteur catholique, habitué à reconnaître que la Grâce ne détruit pas la nature et que le surnaturel s'enracine dans le « charnel », mais nous trouverons un motif supplémentaire d'action de grâces dans le fait, si éclatant, que cette femme, prédestinée à de si hautes grâces, ait été d'abord, sur le plan de la simple nature, un être complet, d'une plénitude magnifique — une réussite. Sans doute le Seigneur suscite ses saints d'où il veut et il est normal, il est heureux, qu'il n'y en ait pas beaucoup parmi « les sages et les intelligents » (Matth. XI, 25), mais il est nécessaire aussi, il n'est pas sans signification, que son appel, son élection, s'adresse et se repose quelquefois sur quelques-uns des « sages selon la nature » ou quelqu'un parmi « les puissants et les hommes de noble race » (I Cor., I, 26) : autant que de « renverser la sagesse des sages » (Is., XXIX, 14), il entre dans les desseins de la Providence de montrer au grand jour que le service de Dieu n'est pas seulement une consolation pour les ratés et une compensation pour l'échec. Qui ne mesure la portée profonde qu'eut, dans l'Eglise du IVe siècle, la conversion de ces « grands hommes », Marius Victorinus ou saint Augustin ?

Ce n'est donc pas sans action de grâces que nous découvrirons que sœur Bénédicte de la Croix a commencé par être Edith Stein, une fillette grandie dans un milieu familial magnifiquement épanoui, puis une heureuse jeune fille à qui n'a manqué ni le charme ni la grâce ; plus que ces dons extérieurs, elle avait reçu, comme tant de fils et de filles sortis des ghettos d'Europe orientale, des dons exceptionnels de l'intelligence et de l'esprit, cet appétit prodigieux de savoir, cette aptitude à boire à pleine coupe le vin pur de la pensée : enracinée dans la grande tradition culturelle des Universités germaniques, elle devint « le docteur » Edith Stein, l'élève choisie et bientôt l'assistante du grand Husserl ; elle a été philosophe, au sens plein du mot, ce qui est (n'en déplaise à la « légèreté française ») tout autre chose, et plus, qu'une agrégée de philo. Je ne tiendrai pas la gageure d'apprécier en deux lignes la signification de son œuvre ni de déterminer le rôle qu'il convient de lui assigner dans l'essor de la Phénoménologie (comme tout événement historique, ce mouvement philosophique a une portée complexe, ambiguë ; il est nécessaire de souligner que la signification que lui a reconnue Edith Stein — l'évasion hors du relativisme, la redécouverte de l'Absolu dans la connaissance — n'était pas arbitraire, ni artificiel l'itinéraire qui l'a conduite des Recherches Logiques au De Veritate) : ce qui importe uniquement à mon propos est de constater le fait que l'activité philosophique d'Edith Stein, son enseignement et ses écrits lui ont mérité l'attention et le respect de ses pairs : leur témoignage unanime est là pour reconnaître la valeur intrinsèque, l'authenticité, l'autorité de sa vocation de penseur.

Tout cela, le jour venu, elle l'a sacrifié, le cœur léger, à un plus haut appel : comment, à propos de cette traductrice et interprète de saint Thomas, ne pas évoquer le mot de celui-ci à frère Reginald, prononcé vers la fin de sa vie terrestre : Mihi modicum videtur..., « tout cela est à mes yeux bien peu de chose » !

Du cheminement de la grâce dans cette âme silencieuse, vraiment carmélitaine, nous ne savons presque rien ; on trouvera ici peu de ces confidences au plan psychologique dont raffole la curiosité des modernes. Nous ne pouvons qu'observer les résultats, les magnalia Dei, *les merveilles de*

Dieu opérées en elle. Son renoncement, son dépouillement si total : cette carrière si bien commencée, cette œuvre surtout, voilà qu'elle l'abandonne, sauf, toute à l'obéissance, à la reprendre pour l'abandonner à nouveau, puis la reprendre encore, au seul service de l'Eglise (rien de plus significatif que les huit années de silence et de recueillement passées à Spire, simple professeur d'enseignement secondaire). Cette humilité : on nous la montre entrant et vivant au Carmel de Cologne presque inconnue à ses sœurs : l'image commémorant sa prise d'habit porte, avec le verset — choix prophétique — du Ps. XXVI : « Yahvé est ma lumière et mon salut, qui craindrai-je ? » la parole de saint Jean de la Croix : « Pour parvenir à être le tout, ne veuille être quelque chose en rien ! »

On pense à la vie pareillement ignorée et secrète de sainte Thérèse de Lisieux : omnis gloria filiae regis ab intus (Ps., XLIV, 14).

Nous pouvons mesurer la qualité de cette pureté spirituelle acquise au pied de la Croix par cette vie de renoncement, qui fut aussi une vie de veilles et d'oraison — comme nous mesurons celle des Pères du Désert, à la profondeur, mais aussi à la robuste simplicité, à la santé de l'enseignement qu'elle en rapportait pour notre usage. Quoi de plus sain que sa réaction en face des prétentions de la « prière objective », nées d'une déformation du mouvement liturgique, quoi de plus profond et de plus simple — de plus beau — que ces quelques pages où elle enseigne à nos âmes bousculées par la vie active (et la surexcitation de la civilisation technique) ce que sont Les Voies du Silence, *du recueillement, de l'ouverture à la grâce : « Dès le petit matin, nous voudrions nous précipiter vers les tâches qui nous pressent... » et tout ce qui suit : la prière du matin, le travail, la prière de midi, et jusqu'au dimanche et aux fêtes, comment nous orienter peu à peu, « d'année en année, vers l'éternité, comme un fruit qui mûrit avant de tomber dans le repos du Sabbat éternel »... Ici encore, où est « la sagesse des sages » ? La technicité hautaine des* Annales de Philosophie et de Recherches Phénoménologiques ? *Cela pourrait être signé de l'un ou de l'autre des plus grands noms de notre tradition ascétique, cela aurait pu être dicté, par exemple, par l'humble frère Laurent de la Résurrection, de son vivant cuisinier au couvent de la rue de Vaugirard et qui n'était pas venu, lui, à Dieu et au Carmel, de la philosophie, n'ayant été dans le siècle qu'un « laquais lourdaud qui cassait tout ».*

Mais quand tu chercheras à mesurer tout ce que sœur Bénédicte a reçu (car tout est don, et la grâce et d'abord la nature), tu devras compter au premier chef le fait qu'elle n'est pas venue à Dieu en partant de rien — de cette absence de Dieu, de ce désert spirituel où erre la misère de tant de nos frères d'aujourd'hui (ceux qu'on n'ose même pas appeler des païens, car le pauvre païen, lui du moins, à travers ses idoles, connaît et invoque quelque chose de Dieu) — mais qu'elle a été une fille d'Abraham, une héritière du Peuple des Promesses.

Il faut rappeler d'un mot, car trop de chrétiens en Occident se complaisent à l'ignorer, quelle était la profondeur de la foi, la noblesse morale, l'intensité de la vie religieuse dans ces familles juives orthodoxes de l'Europe centrale ou orientale, héritières de tant de siècles de fidélité et de recueillement. Le tableau qui nous est retracé ici de la famille Stein m'a remis en mémoire les remarques si profondes de Roger Bauer à propos de Kafka : plus que dans les réunions de la synagogue, la vieille religion juive s'incarnait dans la vie de la famille (la célébration du sabbat, etc.), que la pratique de la Loi, impérieuse, omniprésente, pénétrait de valeurs liturgiques, ascétiques, sacrées...

Comment ne pas retrouver en Edith Stein, en cette âme intransigeante (telle que nous la révèle une anecdote de son enfance), la grandeur propre de l'âme juive, avec cet élan totalitaire vers l'Absolu, qui vient de ce qu'entre toutes les âmes elle est par excellence l'âme capable de Dieu ? Que de détails révélateurs : qu'il était léger le joug des lois ecclésiastiques, celui même de la règle du Carmel, pour cette juive orthodoxe, habituée dès l'enfance à observer les prescriptions minutieuses de la loi rabbinique (il y a trente-neuf interdits sabbatiques, etc.), à voir sa vieille mère jeûner (du jeûne intégral, qui interdit même un verre d'eau), vingt-quatre heures durant, le jour de l'Expiation ! Comment ne pas voir dans cet élan résolu vers une vie consacrée le déploiement de cette puissance spirituelle accumulée au cœur de l'âme juive par une tradition millénaire au service du Nom sacré ? Comment hésiter à reconnaître en action l'esprit des patriarches, des prophètes et des sages d'Israël — cet esprit d'Elie qu'elle était venue retrouver au Carmel ?

Nous, chrétiens issus de la gentilité, que l'adoption seule a fait monter à la dignité de « fils d'Abraham » Oraison in Abraham filios et in Israeliticam dignitatem (de la IV⁰ prophétie du samedi saint), nous mesurons sans peine, en présence de cette grandeur surnaturelle, de cette splendeur de sainteté, toute la vérité de la parole de consolation que l'apôtre saint Paul adresse à son peuple : « Quel est donc l'avantage du Juif, ou quelle est l'utilité de la circoncision ? Cet avantage est grand à tous égards (Rom., III, 1-2) : Non, Dieu n'a pas rejeté son Peuple (XI, 2) ! » Et cette splendeur même nous fait comme entrevoir et déjà saisir la vérité des promesses : « ... Que ne sera pas leur plénitude... Car si leur rejet a été la réconciliation du monde, que sera leur réintégration, sinon une résurrection d'entre les morts ! » (XI, 12-15). Sans doute l'accomplissement total de ces promesses (« Et ainsi tout Israël sera sauvé », XI, 26) est pour la Fin des Temps, mais déjà, chaque fois qu'un fils ou une fille d'Abraham cesse de persévérer dans son incrédulité et, levant les yeux vers Jésus crucifié, confesse qu'il est le Messie d'Israël et le Sauveur du monde, quelque chose de cet accomplissement se trouve acquis, un pas de plus est fait vers la Consommation des siècles, car le temps de l'Eglise, le temps où nous vivons, est déjà comme nimbé d'une lueur d'Apocalypse, est déjà un temps eschatologique : « Voici venue la dernière heure : vous avez ouï dire que l'Antéchrist doit venir ; et déjà maintenant beaucoup d'antéchrists sont survenus : à quoi nous reconnaissons que la dernière heure est là » (I, Jean, II, 18).

Mais dans la condition charnelle qui est la nôtre, dans notre cœur divisé, il n'y a pas de mystique possible sans *ascèse préalable : la floraison spirituelle ne peut s'accomplir que dans la souffrance et le déchirement. Rien ne donne plus de signification, plus de valeur à la conversion d'Edith Stein que le conflit insurmonté qu'elle provoqua au sein de sa famille. Qu'elle est vraie, la dure parole du Seigneur : « Ne croyez pas que je sois venu apporter la paix sur la terre : je ne suis pas venu apporter la paix, mais le poignard* (Matth., x, 34). *Car, désormais, dans une même famille, cinq seront divisés, trois contre deux et deux contre trois : ... mère contre fille. »* (Luc, xii, 52, 53). *L'une des sœurs d'Edith a pu venir la rejoindre dans l'Eglise et au Carmel (et au martyre pour finir), mais non sa nièce Erika, mais non sa mère — obstinément, douloureusement fidèles, de cette Fidélité infidèle où s'est raidi le peuple à la nuque indocile, ce qui est proprement le sens de la* perfidia Judaïca *pour laquelle nous fait prier la liturgie du vendredi saint.*

A ses frères selon la chair, pour qui cette conversion chrétienne apparaît comme une désertion, deux fois douloureuse pour s'être accomplie (comme le soulignait un de ses proches) « au moment précis où les Juifs souffraient persécution », il faudra montrer que sœur Bénédicte ne s'est jamais sentie séparée de son peuple (combien juive en cela : le Juif ne peut pas prier au singulier et ne se présente jamais devant Dieu qu'avec sa communauté tout entière ; il commence par De profundis clamavi, *mais termine « et il rachètera Israël de toutes ses iniquités ») : elle restait fidèle à son appartenance au peuple élu — jusque dans sa fierté intransigeante (« elle ne supportait pas qu'on critique les Juifs »). Elle a ressenti comme siennes leurs souffrances, leurs persécutions, et cette fidélité, cet amour, elle les a prouvés « non par des mots ni par la langue, mais en actes et en vérité »* (I, Jean, iii, 18) — *jusqu'à la mort même, puisque c'est en tant que Juive baptisée qu'elle a été arrachée à son refuge, le Carmel d'Echt, et conduite, comme tant de ses frères, au camp d'extermination.*

Cette mort de victime, juive autant que chrétienne, elle l'a non seulement acceptée, mais prévue, désirée, demandée. Une âme de cette trempe, une intelligence si lucide (et que nous pouvons croire illuminée d'en haut), ne pouvait se méprendre : elle a, de fait, porté très tôt un jugement sans illusion sur le temps de ténèbres qu'allait être celui de la tyrannie hitlérienne. (« Je lui dis : Mais, mademoiselle, vous tremblez ? — Comment ne pas avoir du chagrin ni trembler, quand je sais que Hitler va se saisir bientôt de mes parents et de moi-même ! ») Philosophe, elle était trop habituée à la vérité pour ne pas chercher à comprendre le sens de ces épreuves infligées par la Bête ; trop juive d'hérédité pour ne pas y reconnaître un châtiment de Dieu (le chrétien se sent proche de Dieu dans l'allégresse et l'action de grâces, quitte à blasphémer quand arrive le jour du malheur ; le Juif, lui, adore, et reconnaît la main de Yahvé quand elle s'appesantit sur son peuple) ; pénétrée maintenant de la lumière du Christ, elle pouvait en discerner le sens et la portée.

Je cite ses paroles : « O combien mon peuple devra souffrir avant qu'il ne se convertisse ! » Ou ailleurs : « Il m'apparut soudain clairement que la main du Seigneur s'abattait sur mon peuple, et que la destinée de ce peuple devenait mon partage... Je m'adressais intérieurement au Seigneur, lui disant que je savais que c'était sa Croix à lui qui était imposée à notre peuple. La plupart des Juifs ne reconnaissaient pas le Sauveur, mais n'incombait-il pas à ceux qui comprenaient de porter cette Croix ? C'est ce que je désirais faire. »

Là est le secret de sa mort, et le sens de sa vie. Nous savons qu'en toute conscience et décision elle a voulu s'offrir en sacrifice pour la conversion d'Israël et pour la paix du monde. Nous le savons par un billet écrit à sa Prieure où son humilité délicate voile ce qu'a d'excessif cette offrande d'elle-même en supposant qu'une telle vocation n'aura rien d'exceptionnel (« Nul doute qu'Il n'adresse cet appel à beaucoup d'autres âmes en ces jours. ») Et nous la voyons se préparer de loin à un tel sacrifice par la méditation du Christ crucifié et de la Vierge de compassion...

Ce qui achève de donner à cette offrande, finalement consommée avec une simplicité héroïque, sa perfection, sa pureté, est un fait que le lecteur notera peut-être, au premier

choc, avec étonnement : sœur Bénédicte a tout fait, humainement, pour échapper à la persécution : elle quitte l'Allemagne nazie pour un Carmel de Hollande ; la Hollande une
fois occupée, elle cherchera un refuge en Suisse, par des
démarches instantes et précises ; arrêtée, en instance de départ
pour l'Est — et la mort —, elle trouvera encore le moyen
d'écrire (c'est l'un de ses derniers billets) au consulat helvé-
tique à La Haye pour tenter une dernière fois d'obtenir un
impossible salut. Je souligne ces faits, car je reconnais là le
comportement historique de nos plus authentiques, de nos
plus grands martyrs. Au temps des persécutions des premiers
siècles, les chefs de l'Eglise apprenaient aux fidèles à ne pas
s'exposer d'eux-mêmes à la police romaine. C'étaient des héré-
tiques, Montanistes et exaltés de tout ordre, qui couraient
au-devant du supplice (quitte à faiblir parfois sous les tortures) ; les saints savaient, eux, que le martyre est une grâce,
de toutes les grâces la plus haute, et qu'il n'est pas permis
de tenter le Seigneur, notre Dieu. C'est ainsi que nous voyons
les grands martyrs du IIe ou du IIIe siècle, Polycarpe de
Smyrne, Cyprien de Carthage, Denys d'Alexandrie, se dérober
aux poursuites, dans la mesure de leurs forces, dignement,
prendre — dirions-nous — « le maquis », et le jour venu
où cette prudence se révèle déjouée, consommer leur sacrifice dans l'exultation et le triomphe. Ce n'est pas là un
privilège de l'antiquité chrétienne, mais une constante du vrai
martyre.

Nous touchons là à un élément très profond, très significatif. L'Histoire atteste combien est puissante, et subtile,
auprès de l'âme philosophique, la tentation du suicide libé-
rateur (la mort de Socrate, si noble soit-elle, n'est pas entièrement pure de cette tache). D'où la nécessité d'une vigilance
toute spéciale, dont le martyr authentique n'est jamais
dépourvu ; pour renvoyer le lecteur à un autre volume de
cette collection [1], prenons par exemple le cas de saint Thomas
More : nous le voyons très préoccupé de dégager son témoignage catholique de toute composante de haute trahison
envers son souverain, le roi schismatique, mais roi légitime,
Henri VIII. Dans le même sens, je vois sœur Bénédicte

éliminer de son sacrifice toute composante de suicide. Et c'est ce qui achève de conférer à cette mort, et à la vie qu'elle couronne, sa pleine signification.

Envoyée à la mort en haine de l'Eglise (puisque, la chose est établie, la déportation dont elle fut victime fut décidée en représailles d'un geste d'indépendance spirituelle de l'épiscopat hollandais : les Nazis, ces « seigneurs » — comme ils disaient — à l'âme de valets, n'osant sévir contre des évêques, se vengeaient bassement sur des religieuses cloîtrées !) ; condamnée en tant que Juive baptisée, sœur Bénédicte meurt à la fois comme témoin d'Israël et comme martyre du Christ. De tous les souvenirs qu'on trouvera ici rassemblés, celui qui m'a paru renfermer le jugement le plus profond est celui de sœur Marie Pia, qui nous montre Edith Stein, et sa sœur Rose, « devançant l'aurore » (Ps., 56, 9), priant de longues heures les bras en croix : « Elles priaient avec un amour intense afin de désarmer la justice divine et d'obtenir miséricorde pour les victimes et pour leurs bourreaux — intercédant auprès de Dieu comme autrefois Esther et Judith », ces saintes de l'Ancien Testament, ces femmes fortes, honneur d'Israël et gloire de l'Eglise.

H.-I. MARROU [2].

---

1. Dans la première édition.
2. Henri-Irénée Marrou (1904-1977), philosophe chrétien, historien de l'Antiquité, musicologue, a laissé derrière lui une œuvre immense : plus de deux cents titres publiés ! Son nom reste attaché à la *Théologie de l'Histoire* (1968), à *la Bible de Jérusalem*, à la monumentale *Concordance de la Bible* aussi bien qu'à la *Décadence romaine ou Antiquité tardive ?* (1977), aux *Troubadours* (1961) et à *la Chanson populaire française* (1944).
Enseignant et chercheur, cet éveilleur de vocations avait une conception globale de la connaissance historique qui l'engagea lui-même dans le présent de l'Histoire. Il participa ainsi à la résistance contre le nazisme et, plus près de nous, éleva la voix contre la torture au moment de la guerre d'Algérie.

LIMINAIRE

Moins de dix ans après la mort d'Edith Stein, cette destinée exceptionnelle était connue bien au-delà de l'enceinte de son monastère et des frontières de son pays. A la Révérende Mère Prieure du Carmel de Cologne nous devons la biographie qui nous a permis une première rencontre avec Edith Stein, devenue sœur Thérèse-Bénédicte de la Croix. Des précisions sont venues enrichir les éditions successives du livre de Mère Thérèse-Renée du Saint-Esprit [1]. Elles étaient dues à des amis d'Edith.

Ces amis, il nous fut donné de les rejoindre. Leur témoignage précieux a éclairé certaines circonstances de la vie, a aidé à déchiffrer parfois, sous l'aspect souvent impersonnel de l'œuvre, la présence d'aveux discrets par lesquels se livre cette grande âme.

Quant aux lettres d'Edith Stein, elles furent en majeure

---

1. *Edith Stein, Lebensbild einer Philosophin und Karmelitin,* par Mère Thérèse-Renée du Saint-Esprit. (*Glock und Lutz,* Nuremberg, 6ᵉ édition, 1952). Chaque fois que nous citerons cet ouvrage de la Prieure de Cologne, nous le ferons sous l'indice C, suivi du numéro de la page citée.

partie détruites. La crainte engendrée par les persécutions antisémitiques des Nazis poussa la plupart de ses parents, amis et sœurs en religion, à faire disparaître les traces de leur correspondance. Les lettres qui restent — nous en connaissons quelques-unes grâce à l'obligeance de sœur Aldegonde, Bénédictine, et de Mme Biberstein — laissent transparaître une telle richesse d'humanité, une qualité d'intelligence si rare, que l'on regrette plus encore cette destruction.

Il fallait se hâter de recueillir ces témoignages révélateurs. On les a donnés sans apprêts, avec l'unique souci de la vérité : lettres, dépositions orales, documents écrits, etc. Jusque dans leurs répétitions ils ont paru significatifs. Ainsi se trouve retracée sans altération une destinée très noble et très pure, dont déjà la légende menaçait de s'emparer. Mais la réalité ici est plus émouvante que la fiction.

Tout en respectant le silence qui s'étend sur la vie et jusque sur la mort d'Edith Stein, nous nous sommes bornée à relever quelques traits de sa correspondance ou de son comportement, qui semblent marquer les étapes de sa montée vers Dieu.

Le lecteur sera sans doute frappé de l'extraordinaire simplification qui s'est opérée dans l'âme d'Edith Stein par la grâce du baptême. Ainsi s'est-elle trouvée conduite, sans heurts, des recherches les plus subtiles de la philosophie, à la contemplation obscure mais paisible des mystères de la foi.

Une fois reconnue la Vérité, Edith s'est livrée à elle. Son don sans réserve, consommé par le feu du martyre, lui permit d'accéder à la « lumière sans ombres » vers laquelle elle tendait de toutes ses forces.

Dès ses premières années, l'écolière captive par son intelligence, sa spontanéité et l'ouverture de son cœur. L'étudiante apparaît toute dévorée de la passion de savoir et de la soif de la vérité. La Carmélite pénètre dans une région mystérieuse, où l'intelligence adore et où l'amour connaît, où l'humble douceur de l'Evangile pourrait donner le change sur la violence d'un sacrifice commencé dès le cloître et parachevé dans la foule anonyme des victimes du four crématoire d'Auschwitz.

Bénie en vérité, dans le mystère de la Croix, sœur Thérèse-Bénédicte — ayant offert sa vie pour les siens — nous précède et nous appelle dans ce Royaume où Dieu lui-même essuiera toute larme des yeux de ses saints (*Apoc.*, 21,4).

Un membre de la famille carmélitaine, Mme Schnell Paulus, nous fit tenir la petite édition de la biographie écrite par Mère Thérèse-Renée en 1949. Il semblait désirable, en complétant cette première esquisse, de faire connaître cette vie en France. Mais il fallait être aidée pour un tel travail. Edith Stein le comprit sans doute, et elle nous envoya, l'un après l'autre, les meilleurs de ses amis.

Jacques Maritain, qui la connut à Juvisy et qui avait beaucoup d'admiration pour elle, nous encouragea à écrire un simple récit de sa vie et de sa mort, laissant aux spécialistes l'étude systématique de son œuvre. Durant l'été de 1952, il nous signala l'ouvrage de J.-M. Oesterreicher, curé de Old S. Peter à New York : *Walls are crumbling* (Les murs s'écroulent, histoire de sept philosophes juifs qui ont, chacun à sa manière, *rencontré* le Christ [2]. Les études que l'auteur consacre à Husserl, Reinach et Scheler, nous ont introduite dans le cercle des phénoménologues de Göttingen et permis de rejoindre les contemporains d'Edith. M. Oesterreicher, en nous autorisant à le citer, nous communiqua l'adresse de la sœur d'Edith Stein et de plusieurs de ses amis.

Grâce à la bonté et aux relations étendues de la Révérende Mère Marie-Anne, du monastère des Carmélites de Luxembourg, bien des portes se sont ouvertes auxquelles nous n'aurions osé frapper. C'est ainsi que nous fîmes connaissance de dom Raphaël Walzer. L'ancien Abbé de Beuron, chassé d'Allemagne par Hitler, en 1935, pour avoir animé de sa flamme la lutte pour la primauté du spirituel, est maintenant devenu Français. Il dirige, à Tlemcen, la fondation d'un

---

2. *Walls are crumbling,* Seven jewish philosophers discover Christ, par J.-M. Oesterreicher. (The Devin Adair Company, New York, 1952.)

monastère de Saint-Benoît. A travers ses paroles, comme à travers ses silences, il a été possible de saisir un peu de la simplicité et de la limpidité de la grande âme d'Edith Stein.

Sœur Aldegonde Jaegerschmid, une amie d'Edith, convertie comme elle, a répondu avec une merveilleuse patience à toutes les questions. C'est à son dévouement illimité, à celui de sœur Marie des Douleurs, dominicaine, à leur charité fraternelle, que l'on doit l'abondante moisson de traits inédits, qui est venue enrichir les premières données biographiques.

Le couvent des Dominicaines de Sainte-Madeleine, à Spire, celui des Oblates bénédictines de Sainte-Lioba, à Fribourg-en-Brisgau, ont été pour Edith Stein des lieux de silence et de paix, des étapes bénies dans sa montée vers le Carmel. Merci à celles de ses sœurs qui n'ont pas hésité à rompre leur silence monastique pour évoquer son cher souvenir.

Comment ne pas nommer et remercier, parmi les collègues et amies du « Docteur Stein », Mme Beerman, de Cologne, Mlle Renant, à Paris ?

Merci encore à ceux qui, directement ou indirectement sollicités, nous ont aidée en marquant la place de l'œuvre d'Edith Stein et en affirmant le rayonnement de sa personnalité : Mgr Johann Peter Steffes, de Münster ; M. Aloïs Dempf, de la Faculté de philosophie de Munich ; M. Paul Lenz-Médoc, de la Sorbonne ; M. Alexandre Koyré, de l'Ecole des Hautes Etudes, à Paris, dont la compétence et l'érudition se doublent d'une si profonde et délicate amitié pour Edith Stein.

Que Mme Erna Biberstein, qui a relu et complété les pages consacrées aux années d'enfance et nous fit parvenir de New York le photostat d'une lettre de sa sœur, trouve ici l'expression de notre reconnaissance et de notre respect envers sa famille tragiquement éprouvée.

Nous voudrions n'oublier aucun de ceux qui, pour faire partager leur admiration, leur amitié, à l'égard d'Edith, n'ont pas craint de livrer un peu du secret de leur rencontre avec elle : Hedwige Conrad-Martius, chez qui la jeune philosophe reçut l'appel de la grâce et fut marquée du sceau du baptême ; Gertrude von Le Fort, dont l'affection pour Edith transparaît dans ses messages oraux ou écrits ; Mlle Börsinger, de Bâle, qui se dépensa en efforts, hélas demeurés vains, pour tenter d'arracher Edith et Rose Stein à la Gestapo ; M. Jean Hering, de la Faculté de Strasbourg ; M. Dietrich von Hildebrand, de Fordham University, qui ont connu l'étudiante de Göttingen ; M. le professeur Rosenmöller, de Münster ; le Père Van Breda, aux Archives Husserl, à Louvain ; le Père Przywara, S. J., dont nous citons plusieurs articles ; tous ceux qui ont contribué à nos recherches.

Quant à l'appui que nous ont apporté M. Henri Marrou, de la Sorbonne, le Père François de Sainte-Marie, des Carmes d'Avon, l'abbé Charles Journet, de Fribourg, il est pour nous inestimable.

On le voit, ce livre appartient à tous ceux qui ont contribué par leur science et leur amour à éclairer le pur visage de sœur Bénédicte de la Croix ; Edith Stein, enfant d'Israël et martyre du Christ.

Paris, juin 1953.

PREMIERE PARTIE

LA SOIF DE CONNAITRE

Moi j'aime ceux qui m'aiment ; qui veille
dès l'aurore pour Me chercher Me trouve.

Prov., VIII, 17.

CHAPITRE PREMIER

PREMIERES ANNEES

C'est à Breslau que naquit Edith Stein. Fondée par le
duc de Bohême, deux fois anéantie par les Tartares et les
Mongols, cette ville fut rebâtie pour la troisième fois, à la
fin du xiiie siècle, dans la plaine silésienne au confluent de
l'Oder et de l'Ohle, par des marchands et des bourgeois. Elle
était le fruit de l'expansion germanique aux dépens de la
Pologne. De langue et de culture allemandes, elle s'ouvrait,
en effet, sur le monde slave. « Notre ville », écrira un Silésien
exilé, « était une réalité allemande, mais un rêve polonais,
et ce rêve formait l'autre aspect de sa vie... [1] »

Dans ce marché prospère, établi sur la rive gauche de
l'Oder, les colons de langue allemande côtoyaient les hommes
de la steppe, vendant des peaux et des fourrures ; les marchands du Sud apportaient des soies de Chine et des tapis
turcs, sur leurs traîneaux tirés par de petits chevaux rapides.
Ainsi s'édifia Breslau, autour de la place du marché, avec
sa cathédrale, ses quatorze églises gothiques, le joyau délicat
de son hôtel de ville, son vieux pont sur l'Ohle. La ville
s'épanouira sous l'influence autrichienne et catholique, avant
de devenir protestante et prussienne. Il lui restera toujours

---

1. Wolfgang von Eichborn, *Das Schlesische Jahr.* (Stuttgart, 1949.)

une note de charme spontané que la réforme luthérienne et la rigidité prussienne ne lui enlèveront pas. Aussi les clochers baroques et les façades des palais rococo viennent-ils rompre l'ordonnance serrée des édifices austères de la vieille cité. Et quand le roi de Prusse fera construire une résidence à Breslau, au XVIII⁰ siècle, ses architectes s'inspireront des palais viennois.

Puis la ville moderne grandira alentour, se développant à l'est et au nord, de façon géométrique, au fur et à mesure des nécessités de logement, et sans le moindre souci artistique. Toute la fantaisie silésienne s'est réfugiée au cœur de la cité.

Lorsque les Stein vinrent s'établir à Breslau en 1890, la ville comptait près d'un demi-million d'habitants. La prospérité soudaine de la Haute Silésie industrielle lui avait valu un afflux de population. Siegfried Stein tenait un négoce de bois. Sa femme, Augusta Courant, était originaire de Lublinitz. Tous deux étaient des Israélites profondément religieux. Leur fille Edith était le septième enfant. Elle naquit au soir du 12 octobre 1891, fête de l'Expiation, jour de pénitence pour les Juifs. Ce jour-là, le Grand Prêtre imposait jadis les mains au bouc symbolique, puis l'ayant chargé des péchés du peuple le chassait au désert. Mme Stein vit dans la date de naissance de sa fille un signe de la prédilection du Seigneur.

Edith n'avait pas encore deux ans lorsque son père mourut brusquement d'une insolation, durant un voyage d'affaires. Mme Stein, d'apparence délicate mais d'une énergie peu commune, réussit à maintenir le commerce tout en élevant elle-même ses sept enfants. La situation se trouvait d'autant plus critique que les Stein venaient à peine d'ouvrir leur magasin. Ce fut une période de grande pauvreté pour la famille qui se logea très modestement dans un faubourg de Breslau. Après vingt années de labeur, Mme Stein put acheter une vaste maison de pierre grise, près de l'église Saint-Michel, dans le centre de la ville. Ce fut à la fois son domicile et son magasin.

Erna, devenue Mme Biberstein, rend à sa mère ce beau témoignage :

« C'est à son énergie extraordinaire, à son intelligence très vive, à l'ardeur joyeuse de son travail, mais surtout à sa confiance en Dieu et au sentiment de sa responsabilité envers ses enfants, que maman doit d'avoir réussi à surmonter l'épreuve... Mais nous avons vécu de longues années dans le dénuement. Ce n'est que vers 1910 que nous avons pu mener une vie plus aisée et que notre famille s'installa dans la maison de la rue Saint-Michaelis, au numéro 38 [2]. »

Mme Stein était une Juive convaincue, fière de ses origines. Elle donnait à ses enfants une éducation pénétrée des exemples de l'Ancien Testament, dont l'austérité était tempérée par sa tendresse maternelle. Elle leur apprit à observer le cérémonial rabbinique. Ainsi, chacun des repas était accompagné de la récitation des grâces en hébreu et la vaisselle soigneusement lavée dans plusieurs eaux, selon le rituel. Sans briser leur spontanéité ni leurs dons naturels, elle sut développer les qualités profondes des siens dans une atmosphère empreinte de gravité, sous le regard et dans la crainte révérencielle du Dieu d'Israël.

Dans la lettre citée plus haut, Erna Biberstein donne quelques détails sur la vie quotidienne :

« Notre intérieur était celui de Juifs orthodoxes. Nous observions soigneusement les jours de jeûne et de fêtes ; ma mère croyait en Dieu de tout son cœur, mais elle était large d'esprit et n'exerça aucune pression religieuse sur nous par la suite. Les enfants de notre famille ont appris l'hébreu dans une école juive, sauf les deux derniers, Edith et moi, car nous habitions alors la banlieue et maman ne voulait pas nous laisser parcourir seules la longue distance qui nous séparait de cette institution. »

De caractère équilibré, très intelligente, Mme Stein renoua personnellement les relations commerciales de son mari. Douée pour les affaires, elle fit de nombreux voyages à travers la Silésie et les Balkans et dirigea bientôt l'achat et la coupe des bois. Il paraît qu'elle savait apprécier d'un coup d'œil la valeur marchande d'un domaine forestier. En quelques années de travail acharné, l'entreprise prit son essor.

---

2. Lettre d'Erna Biberstein, New York le 13-11-1952.

Mme Stein était estimée de ses voisins pour son courage et sa ténacité et aussi pour son grand cœur. On la vit durant des hivers rigoureux abandonner en faveur des indigents les coupes de bois qu'elle venait d'acquérir. Elle devait conserver ses habitudes laborieuses jusqu'à ses derniers jours. Agée de quatre-vingt-huit ans, on la voyait encore, vêtue de noir et ceinte d'un large tablier bleu, tenir les comptes du magasin, puis passer l'après-midi à lire dans l'embrasure de la fenêtre. Il n'était pas rare qu'elle parcourût ainsi un livre entier [3].

Dès que le commerce rapporta quelques bénéfices, Mme Stein encouragea ses enfants à continuer leurs études, les orientant vers des carrières libérales. L'aînée, Else (Mme Gordon), après avoir aidé à l'éducation des plus petits, devint institutrice. Paul entra dans une banque, tandis qu'Arno secondait sa mère dans la direction des affaires. A la suite d'un mariage malheureux, Frieda (Mme Tworoga) revint au domicile familial avec sa fille Erika. Rose demeura à la maison jusqu'à la mort de Mme Stein, puis elle rejoignit Edith, dont elle devait partager la foi et le martyre.

Erna et Edith firent leurs études ensemble, à l'Université de Breslau. La première choisit la carrière médicale, la seconde se voua à la recherche philosophique. Le train de vie de la maisonnée demeura toujours très simple. On cuisait le pain chez soi, comme le faisaient les habitants de Lublinitz. Les filles aidaient aux soins du ménage. Edith grandit dans une atmosphère de joie et de travail. Elle portait à sa mère un immense amour et comme cadette était l'objet de l'affection de tous. Plus tard elle écrira :

« L'amour que je rencontre sur mon chemin me fortifie et m'épanouit, me donnant la force d'accomplir des tâches inouïes. Si la défiance à laquelle je me heurte parfois paralyse en moi toute puissance créatrice, l'affection et une attitude de bienveillance compréhensive m'apportent, au contraire, un trésor dont je puis nourrir les autres sans m'appauvrir pour autant [4]. »

---

3. Cf. l'article de Maria Bienias, *Katholische Frauenbildung*, n° 11, novembre 1952.
4. Annales Husserl 1922.

Le caractère de l'enfant se dessina vite. Tendre et passionnée, douée d'une nature ardente et loyale, d'une riche sensibilité, d'une intelligence toujours en éveil, elle se montrait avide de connaître [5].

Souvent les voisins prenaient soin des deux dernières petites filles, Erna et Edith, âgées de quatre et trois ans. On les emmenait promener avec d'autres enfants pour soulager un peu leur mère. Il advint ainsi qu'une fillette, à peine plus grande que les deux sœurs, promit à la légère de venir les chercher pour une belle excursion. Tout l'après-midi celles-ci attendirent vainement, revêtues de leurs habits du dimanche. Lorsque la petite camarade, qui avait oublié, se présenta chez Mme Stein le lendemain, elle fut reçue par Edith.

Celle-ci lui rappela sévèrement le vieux dicton allemand : « Celui qui ment une fois, on ne le croit plus jamais, même quand il dit la vérité ». Puis elle reprit de bonne grâce ses jeux d'enfant [6].

Ses frères et sœurs, frappés de son intelligence, s'amusaient à lui faire partager leurs études, l'entretenant de leur science toute neuve. L'enfant s'y prêtait avec ardeur, mais il n'était pas rare de la voir ensuite sangloter. Elle pleurait de désespoir quand elle n'arrivait pas à comprendre, ni à gagner la meilleure place aux jeux de l'esprit. Mais elle avait bon cœur et, bien que choyée par sa mère, nulle trace de prétention ni d'égoïsme n'apparaissait en elle.

Devenue grande, Edith évoquera ainsi ses souvenirs d'enfant : « Chez nous, il n'était guère question de principes d'éducation, nous lisions à livre ouvert dans le cœur de notre mère pour savoir comment nous comporter. Maman nous enseignait l'horreur du mal ; quand elle avait dit : « *C'est un péché* », ce terme exprimait le comble de la laideur et de la méchanceté et nous en demeurions bouleversés [7]. »

---

5. Nous donnons ici plusieurs anecdotes, citées par mère Thérèse-Renée du Saint-Esprit, dans son livre : *Edith Stein, Lebensbild einer Philosophin und Karmelitin,* livre indiqué en référence par la lettre C. Ces souvenirs d'enfance nous ont été confirmés par Erna Biberstein.
6. C, p. 12.
7. C, p. 18.

A quatre ans survint le premier gros chagrin. Les frères et sœurs d'Edith allaient tous en classe et la petite supplia sa maman de l'envoyer, elle aussi, à l'école. Sur ce point, elle se heurta au refus inflexible de Mme Stein, qui craignait de compromettre la santé fragile de la fillette. Pensant la consoler, on la mit au jardin d'enfants, proche de la maison. Mais ce fut une catastrophe ; Edith, habituée au commerce de ses aînés, ressentit cette décision comme une terrible humiliation. Elle paraissait si malheureuse que sa mère dut la reprendre chez elle.

Edith commença ses études en octobre 1897, pour son sixième anniversaire. Une photographie de l'album de famille nous montre une petite fille délicate, très pâle, avec d'immenses yeux sombres, de longs cheveux blonds et fins, un sourire très doux. Elle se blottit tendrement contre sa sœur Erna qui, brune et d'aspect plus robuste, tient sur ses genoux un chapeau enrubanné.

La première fois qu'elle reçut des notes à l'école, Edith courut les remettre à sa mère et s'écria : « Maman, pardonne-moi de ne pas avoir eu la meilleure place, mais c'est Hilde qui l'a eue, et c'est mieux ainsi puisqu'elle n'a plus sa maman... ». Remarquablement douée, Edith dépassa bientôt ses camarades de classe toutes plus âgées qu'elle. Elle témoignait d'une volonté farouche d'apprendre, mais ne tirait pas vanité de ses succès et, toujours disposée à rendre service aux plus faibles, était unanimement aimée.

Une élève, qui suivait les mêmes cours, raconta plus tard à quel point elle fut frappée de ses dons exceptionnels. « Toutefois, ajoutait-elle, il n'y avait pas la moindre suffisance chez Edith. Elle était profonde, réservée, silencieuse, toujours complaisante et compréhensive à l'égard de ses camarades. » Et cette compagne trouvait caractéristique de la personnalité d'Edith ce mot prononcé un jour à propos d'une version un peu libre : « Un traducteur devrait être comme une vitre transparente, qui se borne à laisser passer toute la lumière [8]. »

---

8. C, p. 21.

Ses matières préférées étaient : l'allemand, l'histoire et les langues. Elle apprit à parler couramment le français, l'anglais et l'espagnol, à lire le latin, le grec et l'hébreu. Vers la fin de sa vie elle apprendra le hollandais avec facilité. Mais les mathématiques demeurèrent son point faible.

Une fois ses études secondaires terminées, Edith rejoignit Erna à l'Université de Breslau. Inscrite aux cours d'histoire et de philologie, elle aborda ensuite la psychologie expérimentale. Elle allait bientôt découvrir la philosophie.

L'Université de Breslau était de fondation relativement récente. De multiples difficultés avaient retardé sa construction jusqu'en 1811. Pour l'ériger, on avait réalisé la fusion entre le vieux collège des Jésuites, institué en 1702 par un privilège de l'empereur Léopold, et les Facultés de Francfort-sur-l'Oder.

Breslau se trouvait isolé des grands centres culturels. Leipzig, Munich, Bonn, au sud-ouest et à l'ouest, étaient difficiles d'accès. Berlin, plus proche, captait jalousement tous les courants intellectuels et ne se souciait pas d'en faire bénéficier la Silésie. De ce fait un provincialisme étroit régnait sur l'Université silésienne qui, orientée vers la spécialisation à outrance, était devenue avec le développement rapide des sciences techniques une sorte d' « école professionnelle ». Les différentes Facultés, dans leurs travaux de recherches, creusaient entre elles des fossés infranchissables et perdaient toute influence. Il fallut la guerre de 1914 pour secouer la poussière de cette érudition désuète. On comprit alors que toute science est vaine qui laisse l'homme seul devant son mystère. Après s'être efforcée de disséquer, découper, démolir, la science voulut reconstruire. Aussi, dans tous les domaines, la vit-on en quête de synthèses. Ce retour à la métaphysique permit d'élargir les horizons, d'approfondir les problèmes et de rétablir l'union des diverses Facultés. L'Université reprit alors sa place au cœur de la nation. L'Institut de Breslau, qui avait été projeté en 1923 et approuvé en 1927, se donnera pour tâche, parallèlement aux recherches linguistiques, de dresser une étude d'ensemble de la littérature germanique.

C'est l'époque où la Silésie prit pleinement conscience de son importance européenne.

Nous pouvons nous faire une idée de l'atmosphère de Breslau entre les deux guerres, en consultant les souvenirs nostalgiques d'un Silésien :

« Notre belle et fière capitale, écrit-il, avait le don d'allier le puritanisme austère et la largeur de vues catholique ; les biens de la terre et ceux de l'esprit ; le rude bon sens des marchands et les raffinements d'une vaste culture, la solidité prussienne et la légèreté viennoise... Nous l'aimions ainsi, comme l'expression d'un être enraciné dans le sol du Reich, mais tourné vers le monde slave. Mais lorsque ce monde nous semblait devenir hostile à l'Est, nous en étions troublés. Ce n'était pas de la crainte, car nous restions convaincus de la puissance de l'Allemagne, mais nous avions peur que quelque chose d'essentiel ne vînt à manquer à l'esprit de notre ville, qui appartenait aux deux univers. C'est ainsi que nous aimions Breslau et c'est ainsi que nous l'avons perdu [9]. »

---

9. Wolfgang von Eichborn, *Das Schlesische Jahr*, Stuttgart, 1949.

CHAPITRE II

LA SOIF DE CONNAITRE

Nous trouvons Edith à l'Université de Breslau, pour le semestre commençant à Pâques 1911. Inscrite aux cours d'allemand, d'histoire et de philosophie, elle se spécialisa bientôt dans la philosophie. Elle suivait les cours de psychologie expérimentale des professeurs Stern et Hönigswald, tous deux Israélites et maîtres en leur matière. L'extrême intelligence et la sûreté de jugement de leur unique élève féminine les frappaient. Ils l'encourageaient en souriant. Ainsi l'un d'eux commença son exposé certain jour en ces termes : « Quand je dis : Messieurs, il est bien entendu que je m'adresse aussi à la dame qui est parmi vous [1] ! » A cette époque Edith se passionnait pour les questions sociales, sa soif de connaissance et son désir de justice allant de pair. On la vit tour à tour soutenir les droits de la femme, ceux des grévistes, puis — après la guerre de 1914 — s'engager à fond pour la république de Weimar. En matière religieuse, c'était l'indifférence. Pour ne pas contrarier sa mère, elle l'accompagnait à la synagogue et pratiquait sans conviction la religion juive. Mme Stein ne s'y trompait pas et redoutait l'influence des théories sceptiques et libérales sur sa fille.

---

1. Cité, C, p. 22.

Edith elle-même confesse avoir été athée jusqu'à vingt et un ans, ne pouvant se résoudre à croire en l'existence de Dieu.

Durant l'été de 1912 et le semestre de l'hiver suivant, alors qu'elle rédigeait un rapport sur l'évolution de la pensée, selon Kulpe, Buhler et Messer, Edith releva dans leurs exposés de nombreuses références à l'ouvrage d'Edmond Husserl, *Recherches logiques*. Un jeune professeur, ancien étudiant de Göttingen, la voyant assidûment penchée sur des compilations de textes, finit par lui dire : « Vous devriez laisser tomber ces notions bien connues et parcourir ce nouveau livre. » Il lui tendit le tome second des *Recherches logiques* [2]. La lecture des *Recherches* fut une illumination pour l'esprit d'Edith. Husserl lui parut : « le philosophe, le maître incontesté de notre temps... » Cette conviction l'incitait à quitter Breslau pour Göttingen, dont des camarades plus âgés lui parlaient avec ferveur : « Ce paradis des étudiants, disait l'un d'eux, nuit et jour, aux repas comme en promenade, on ne cesse d'y philosopher, et bien entendu il n'est question que de *phénoménologie !* »

Vers la même époque, la lecture des journaux illustrés qui publiaient l'éloge et le portrait d'une jeune et brillante élève de Husserl, Hedwige Martius, lauréate du prix de philosophie, vint ajouter au désir d'Edith. Les circonstances allaient servir ses desseins. Son cousin, Richard Courant, professeur de mathématiques à Göttingen, venait d'épouser une jeune fille de Breslau. Celle-ci, écrivant à Mme Stein, lui demanda si elle n'accepterait pas de lui confier ses plus jeunes filles : Erna et Edith. Elles pourraient achever leur formation universitaire et lui tenir compagnie, car Göttingen lui semblait dépourvu de ressources féminines. Saisissant l'occasion, Edith informa sa mère de sa récente découverte intellectuelle et de son projet d'aller suivre les leçons de Husserl. Mme Stein était trop fière des dons de sa cadette

---

2. Cité, C, p. 24. Edith a laissé des notes très vivantes sur la période de ses études. Elles se trouvent réunies avec le texte manuscrit de l'Histoire de sa famille, aux *Archives Husserl*, à Louvain. Elles sont partiellement citées dans la biographie de Mère Thérèse-Renée, pp. 24 et suivantes ; nous y conformons notre récit.

pour vouloir entraver leur développement. Mais elle tremblait
pour la foi d'Edith. Ce séjour hors du cercle familial, dans
un milieu de penseurs brillants et sans doute relâchés, lui
faisait craindre le pire. C'est donc à contrecœur qu'elle lui
permit de quitter la maison. Quant au professeur Hönigswald,
il s'étonnait de voir son élève travailler sans répit durant
les vacances, toujours penchée sur quelque livre de la bibliothèque. Il lui demanda les raisons de ce zèle. Edith, le visage
radieux, lui annonça qu'elle préparait son prochain stage à
Göttingen, se familiarisant avec la pensée de Husserl.

« Rien de moins que Husserl ! » fit le vieil homme, non
sans une pointe d'ironie. La divergence de pensée, encore
peu marquée, entre Husserl et lui devait aller grandissant
et aboutir à une rupture. Edith perçut le malaise de Hönigswald, qui ne voyait pas sans regret l'un de ses meilleurs
sujets passer au camp adverse. Elle le nota dans son journal,
ajoutant avec candeur : « J'avais le plus grand respect pour
cet esprit pénétrant, mais je n'aurais jamais imaginé qu'il
oserait se comparer à Husserl, ni s'estimer de la même enver-
gure que lui ! »

A partir de ce jour les taquineries des maîtres et des élèves
ne furent pas épargnées à Edith. On la surnomma le « connais-
seur objectif ». Et, durant la soirée de la Saint-Sylvestre,
les étudiants « chansonnèrent » son départ avec verve.

Les souvenirs d'Edith laissent percer l'enthousiasme juvé-
nile de l'apprenti philosophe devant la découverte de la
phénoménologie : « J'avais vingt et un ans, écrit-elle, et
j'étais pleine d'attente. La psychologie m'avait déçue. J'étais
parvenue à la conclusion que cette science se trouvait encore
dans ses langes et manquait de fondements objectifs. Mais
le peu que je connaissais de la phénoménologie me ravissait,
surtout par la méthode objective de travail. »

Passer du domaine des recherches spécialisées à celui du
problème de la connaissance, et du cercle relativement fermé
de la parenté juive et des amis à l'ouverture d'une ville
universitaire préoccupée des problèmes contemporains, quelle
libération ! S'y ajoutait un sentiment commun aux premiers
disciples de Husserl, celui d'être délivrés des liens du kan-

tisme et rendus capables d'accéder à la vérité même de l'être : « Tous les jeunes phénoménologues, nous dit Edith, étaient avant tout et délibérément des *réalistes* », et elle déclare avec conviction : « Les *Recherches logiques,* nous semblaient constituer une nouvelle scolastique... la connaissance nous apparaissait comme une faculté rénovée. »

Husserl posait en principe que la vérité, là où elle existe, est nécessaire, immuable, éternelle ; elle s'impose à toute intelligence, fût-ce celle de Dieu, d'un ange, ou d'un démon. Le concevoir autrement serait tomber dans le relativisme et le relativisme équivaut au scepticisme [3]. Le renoncement à la vérité objective, de la part d'un grand nombre de penseurs modernes, lui paraissait une tendance malsaine, voisine de la folie. Il avait pour sa part entrepris de dépasser le naturalisme et d'écarter les dangers du psychologisme, c'est-à-dire d'éviter les conséquences que le naturalisme entraîne sur le terrain de la vérité et des valeurs. « La vérité, soulignait-il avec force, la vérité est un absolu. Ce n'est pas ce que disent les psychologues : ils voudraient la faire dépendre de celui qui pense. Ainsi la loi de la gravitation universelle ne serait vraie que depuis le moment où Newton l'a découverte. Mais la vérité n'est pas née de celui qui la connaît [4]. »

Pour suivre l'évolution de la pensée de Husserl et de ses disciples, il nous faudra discerner dans la phénoménologie deux étapes successives :

La première consiste à décrire le monde des phénomènes (intérieurs et extérieurs), en se guidant du seul principe de l'évidence. On procède à la manière du naturaliste, qui s'abandonne à l'évidence de l'expérience naturelle et qui exclut du thème de ses recherches les questions ayant trait à une critique générale de l'expérience [5]. *Il s'agit de décrire et non pas d'expliquer.* Husserl songeait alors à traiter la philosophie comme une science. Il précise que cette première étape n'est pas encore philosophique au sens plein du terme [6]. On y cherche à « retrouver le sens que ce monde (monde objectif des

---

3 et 4. *Recherches logiques,* de E. Husserl.
5 et 6. *Méditations eartésiennes,* pp. 27 et suivantes.

réalités) a pour tous — antérieurement à toute philosophie ».

Ce « regard phénoménologique » porté sur le monde et qui sera caractérisé par *l'étonnement* devant le paradoxe qu'il pose, va — dit-il — *permettre de revenir aux choses mêmes* (*die Sache selbst*), de dépasser l'analyse et l'explication scientifique.

Un disciple de Husserl dira : « Revenir à ce *monde-avant-la-connaissance,* dont la connaissance parle toujours. » Husserl conseillera à ses élèves « d'aller aux choses et de leur demander ce qu'elles disent d'elles-mêmes, obtenant ainsi des certitudes qui ne résultent nullement de théories préconçues, d'opinions reçues et non vérifiées ».

« L'intuition eidétique, écrit-il, ne signifie pas que l'on voit l'essence d'une chose d'un seul regard ou dans une illumination soudaine et saisissante, c'est plutôt une pénétration gagnée par un labeur pénible, par un travail rigoureux, par un processus qui écarte tout l'accidentel pour dégager l'essentiel [7]. »

Vient ensuite la seconde étape, celle de l'attitude réflexive. Pour universelle et éternelle que soit la vérité, l'homme qui la recherche est individuel, situé dans le temps et dans l'histoire. Alors c'est le problème de l'appropriation par cet homme présent de la vérité éternelle, qui apparaît à Husserl comme la seconde face du problème total de la vérité.

La phénoménologie va recourir à la *réduction transcendantale* pour retrouver le caractère spécifique de la réalité humaine. Par un mouvement qui devait profondément déconcerter ses premiers élèves, Husserl s'oriente ouvertement vers l'idéalisme, la découverte d'un *moi transcendantal,* d'un ultime révélable, à partir duquel *se constituent* les actes et ce qui leur correspond d'objectif à des degrés divers, jusqu'au monde des choses.

A la journée d'étude de la Société Thomiste, consacrée à la phénoménologie, en septembre 1932, Edith décrira ainsi cette étape nouvelle :

« Husserl lui-même, tout en travaillant à ses *Recherches*

---

7. *Méditations cartésiennes,* pp. 27 et suivantes.

logiques, s'est convaincu que la méthode dont il usait était une méthode universelle, capable d'édifier une philosophie qui mériterait vraiment le nom de science. En exposer la portée universelle et le fondement ultime devait être l'objet des *Idées pour une pure phénoménologie et une philosophie phénoménologique.*

« La recherche d'un point de départ absolu pour la réflexion philosophique le conduisit à une sorte de nouveau doute cartésien, à l'idée de *la réduction transcendantale...* et à considérer la conscience transcendantale comme un vaste terrain de recherches. C'est dans les *Idées* que, par endroits, la tendance idéaliste commence à se faire sentir. Ce fut une immense surprise pour les élèves de Husserl et l'objet d'une controverse qui dure encore [8]... »

On peut ainsi distinguer deux phases dans la phénoménologie. Dans la première semble prévaloir la tendance réaliste ; dans la seconde la tendance idéaliste. Cette disjonction, qui fait aujourd'hui encore l'objet de discussions, marque le point où tout un groupe de premiers disciples de Husserl n'hésiteront pas à se séparer de lui.

La petite ville de Göttingen, qui comptait alors quelque trente mille âmes, est située aux confins des provinces de Hesse et de Lippe, au nord de Cassel, au cœur même de l'Allemagne. Appuyée au sud-ouest à une hauteur, dominée par la tour de Bismarck [9], elle est ceinte d'une couronne de collines revêtues de vertes forêts. Les hêtres y poussent nombreux, mêlés aux chênes et aux pins. A l'automne, leur feuillage incandescent sillonne les monts de traînées d'or et de pourpre. Dès la sortie de Göttingen on entre, par de larges allées, dans le bois qui semble prolonger les vastes jardins municipaux. De vieux châteaux forts surplombent la vallée, arrosée par la Weser. Aux pâturages et aux forêts succède la plaine où les paysans cultivent le blé et le

---

8. Journées d'études de Juvisy, document des Editions du Cerf, 1932 (déclaration d'Edith Stein, p. 43).

9. Bismarck avait étudié longtemps à Göttingen et on y montrait fièrement son habitation.

houblon. Des ruines médiévales surgissent des hauteurs, vestiges des anciens « Burgs », et une auberge accueillante, située entre deux collines jumelles, surnommées les *Gleichen* (semblables), conserve le souvenir et la chronique des comtes de Gleichen.

Les étudiants étaient rois et maîtres de la ville. Ils logeaient modestement chez l'habitant ; chaque maison du vieux Göttingen abritait un ou plusieurs pensionnaires, tandis que les professeurs occupaient les villas ou les hôtels plus modernes, en dehors des murs d'enceinte.

La cité avait grand air avec son hôtel de ville gothique dont les fenêtres étaient fleuries de géraniums rouge vif éclaboussant les sévères pierres grises de joyeuses taches de couleur. Sur la place, une fontaine sculptée, aux lignes harmonieuses. Les ruelles étroites allaient serpentant, et des inscriptions en vieil allemand, suspendues comme des enseignes au fronton des maisons, indiquaient les noms des personnages célèbres qui avaient illustré les lieux : les frères Grimm, le mathématicien Gauss, et le physicien Weber, enfin le poète Henri Heine, qui nous a laissé une description ironique de sa vie d'étudiant :

« La ville de Göttingen, célèbre par ses saucissons et son Université, appartient au roi de Hanovre, et contient neuf cent quatre-vingt-dix-neuf feux, diverses églises, une maison d'accouchement, un observatoire, une prison, une bonne bibliothèque et une taverne municipale où la bière est aussi fort bonne... La ville en elle-même est belle, et ne plaît jamais autant que lorsqu'on la regarde par le dos. Elle doit exister depuis bien longtemps ; car lorsque j'y fus immatriculé et bientôt après relégué, il y a de cela plus de cinq ans, elle avait déjà le même aspect grisonnant et posé, et elle était déjà complètement pourvue d'huissiers, de caniches, de dissertations, de thés dansants, de blanchisseuses, de *compendia*, de pigeons rôtis, d'ordres de Guelfes, de carrosses de promotions, de têtes de pipes, de conseillers auliques, de conseillers de justice, de conseillers de légation et de relégation, et d'autres farceurs. On trouve même des gens qui prétendent que la ville a été bâtie à l'époque de migration des peuples et que chaque tribu allemande y a laissé alors un exemplaire brut de ses membres, et que c'est de là que descendent les Vandales, Frisons, Souabes, Thuringiens, etc. En général, les habitants de Göttingen sont partagés en étudiants, en professeurs, en philistins et en bétail, quatre états entre lesquels la ligne de démarcation n'est pourtant rien moins que tranchée. Celui du bétail est le plus considérable. Rapporter ici le nom de tous les étudiants et de tous les professeurs ordinaires et extraordinaires serait trop long ; d'ailleurs je n'ai pas présent à la mémoire le nom de tous les étudiants et, parmi les professeurs, il y en a plusieurs qui n'ont pas encore de nom. La quantité de philistins de Göttingen doit être très grande, comme le sable, ou pour mieux dire comme la boue, au bord de la mer. En vérité, quand je les voyais le matin avec leurs figures sales et leurs blancs mémoires à payer, plantés devant la porte du sénat académique, je pouvais à peine comprendre comment Dieu avait pu créer tant de semblables canailles [10]. »

Bien que cette population fût en majeure partie protestante, les cloches des vieilles églises avaient conservé l'habitude de tinter trois fois le jour pour l'*Angelus*.

Jusqu'à la guerre de 1914 il n'y avait pas de tramways. Tout le monde allait à pied, tant bien que mal, car le sol inégalement pavé des rues principales était souvent raviné par les averses. Les remparts, encore debout, étaient plantés de tilleuls majestueux dont le parfum embaumait les salles de conférence. Les bâtiments universitaires se trouvaient adossés aux remparts, près de l'antique porte de la cité.

On y accédait par la grand'rue, qui descendait de la place du marché vers la ville neuve. C'était l'artère vitale, bordée de demeures anciennes et de tavernes, dont quelques-unes se distinguaient par leur charpente ouvragée et de curieux vitraux, faits de culs de bouteilles.

A droite, dans la rue, s'élevait le monument caractéristique de Göttingen : la haute tour Saint-Jacques, qui, avec

---

10. Extrait de « Montagnes du Harz », *in : Reisebilder*, par H. Heine (1824).

les deux clochers de l'église Saint-Jean, dessinait au loin la
silhouette de la ville. En face et à gauche la célèbre pâtisserie
« A la couronne et à la lance » ouvrait largement ses portes
aux étudiants et aux professeurs. On y dégustait de succu-
lents gâteaux, on y buvait de l'excellent café en lisant les
journaux et discutant des nouvelles.

La maison universitaire se trouvait tout au bout de cette
rue. C'était une vaste demeure sans prétention, avec des
locaux de travail spacieux. Située un peu en retrait, elle était
entourée d'arbres et de bosquets. Les étudiants sortaient
rapidement, entre deux cours, pour prendre l'air, ou fumer
une cigarette. Le « séminaire [11] » se trouvait au coin de
la rue voisine : maison neuve, d'aspect simple et moderne.
La plupart des leçons de philosophie se donnaient dans les
combles. L'institut de psychologie occupait des quartiers bien
distincts : un vieux logis aux chambres basses, près de la
place du Marché. Ainsi, même topographiquement, la distinction entre psychologie et philosophie était nettement marquée.

Les étudiants prenaient leurs repas dans quelque « restau-
rant-crémerie » souvent végétarien. On s'y asseyait par petites
tables et les Anglo-Américains y tenaient leurs quartiers
bruyants et joyeux. Si le temps s'y prêtait on allait jusqu'au
proche hameau de Nikolasberg dont l'aubergiste souriant
réconfortait le voyageur affamé en lui servant une large
portion de crêpes chaudes.

Les mercredis et dimanches soir, on avait congé car les
élèves et professeurs se rendaient à Maria Spring, en joyeuses
bandes, pour y danser... (Seuls les philosophes, Husserl et
Nelson, ne tenaient pas compte de cet accord tacite.)

Les étudiants formaient des catégories bien distinctes.
L'Université de Göttingen était célèbre surtout par ses mathématiciens et ses linguistes. Les philosophes composaient la
petite minorité, et se divisaient en deux groupes : les phénoménologues, et les frisiens, disciples de Nelson, fondateur
de l'école néo-frisienne.

---

11. Cette appellation courante en allemand correspond à peu près
à : école normale.

Ils avaient fondé une « société philosophique », cercle très fermé dont le premier président fut le philosophe Dietrich von Hildebrand qui, plus tard, devait devenir catholique. Cette société, dont les débuts dataient des années 1909-1910, tenait ses assises dans un café. Vers 1912, elle se transporta chez le baron von Heister. Au début, on se réunissait le vendredi soir, et comme les discussions se prolongeaient souvent jusqu'à deux ou trois heures du matin, les participants arrivaient au séminaire de Husserl, le samedi matin, mal réveillés. Finalement Husserl, surpris du manque d'activité mentale de ses meilleurs élèves, eut vent de l'affaire et leur interdit de se réunir le vendredi.

Le descendant des seigneurs von Heister, un jeune homme cultivé, d'une certaine fortune, aimait à connaître « personnellement » chacun des « philosophes ». Il recevait libéralement la « société » dans son manoir, se piquant d'assister aux sessions, voire d'y dire son mot. Mais il ne se formalisait pas quand on laissait tomber ses remarques, insignifiantes pour la plupart. Les membres du cercle arrivaient le plus souvent aux réunions dégoulinants de pluie et crottés par la boue des chemins. Un serviteur respectable pliait leurs vêtements trempés avec beaucoup de politesse et aidait au nettoyage laborieux des chaussures. Mais son visage trahissait l'étonnement discret devant ces invités inattendus. Et quand il servait dignement le thé ou le vin, dans la salle à manger féodale, et qu'il voyait quelque penseur distrait ou emporté par la discussion faire tomber la cendre de sa cigarette dans le sucrier d'argent, il ne pouvait s'empêcher de hocher la tête.

Le groupe scientifique, qui suivait les cours de psychophysique et les leçons de psychologie expérimentale, s'entourait, au contraire, de mystère. Ses étudiants poursuivaient jalousement leurs travaux avec des appareils très compliqués, gardant le silence sur leurs recherches. Ils ne communiquaient avec le dehors que pour y recruter des sujets volontaires pour servir aux tests et aux expériences et encore sous le sceau du secret.

Enfin, les mathématiciens, les linguistes et les historiens formaient un groupe d'humeur plus abordable.

C'est à cette heureuse population universitaire qu'Edith Stein vint se joindre vers la mi-avril de l'an 1913.

En principe le semestre d'études commençait le 15 avril. En fait, les étudiants avaient jusqu'à la fin du mois pour prendre leurs inscriptions et se familiariser avec les lieux. Edith arriva dans la soirée du 17 et fut conduite de la gare à la demeure que lui avait procurée son cousin, Richard Courant. Son hôtesse n'avait jamais pris de pensionnaires, elle reconnut par la suite avoir pensé que les « intellectuelles » étaient toutes laides et vieilles. Elle était particulièrement accommodante. De part et d'autre ce fut une heureuse surprise. Une amie d'Edith, Rose Guttmann, étudiante en mathématiques, vint la rejoindre bientôt. Les deux pièces de location furent converties l'une en studio, l'autre en chambre à coucher. Au petit matin la propriétaire apportait du lait chaud et des pains frais aux deux amies, qui se faisaient elles-mêmes du cacao. A midi, l'on déjeunait dans une crémerie tenue par une Allemande du Sud et trois de ses filles fort enjouées. Le soir, la première de retour au domicile préparait rapidement un frugal repas composé de thé et de sandwiches. Quand on allait en excursion, le menu se trouvait encore simplifié et l'on emportait dans un sac de montagne un peu de pain beurré, du saucisson, quelques fruits et du chocolat.

Edith aimait beaucoup la marche à travers bois et vallées et tous les dimanches et jours fériés étaient consacrés à explorer les environs avec des amis : Cassel et la vallée de la Weser, Gosslar dans le Harz. Ces expéditions se faisaient allégrement, sac au dos. On demandait l'hospitalité au hasard des étapes. Il arrivait souvent de coucher dans le foin fraîchement fauché, chez quelque paysan.

La première visite d'Edith fut, selon le protocole en usage, pour le professeur Reinach, adjoint de Husserl et chargé de l'initiation des nouveaux venus [12].

---

12. Les passages concernant Reinach et Husserl sont empruntés en partie à l'ouvrage de J.-M. Oesterreicher : *Walls are crumbling*, publié chez Devin Adain, à New York, 1952.

Adolf Reinach, ainsi que quelques amis (H. T. Conrad, M. Geiger, J. Daubert, A. Pfänder, etc.), était l'élève de Théodore Lipps, à Munich. Celui-ci avait fait connaître à ses jeunes disciples les *Recherches logiques,* découverte qui porta plusieurs d'entre eux à la rencontre de Husserl lorsque celui-ci fut nommé à Göttingen. Ils saluaient en lui un maître. Ce fut l'origine de la nouvelle école de sagesse. Husserl avait coutume de dire, mi-sérieux, mi-plaisant : « C'est Reinach qui m'a fait saisir toute la portée des *Recherches logiques* » ; en effet Husserl avait travaillé en solitaire, très en marge des psychologues contemporains, et l'intérêt manifesté par les élèves de Lipps pour ses théories l'encouragea à persévérer dans sa voie. Né en 1883, d'une famille de patriciens juifs de Mayence, Reinach, tout jeune encore, manifesta une vraie passion pour la philosophie. Il en découvrit la beauté en entendant lire la description que donne Platon de la vérité éternelle. Il se voua à cette étude jusqu'à sa mort, qui le surprit en pleine jeunesse, au moment de sa conversion. Sa femme et lui venaient de recevoir le baptême lorsqu'il fut tué, dans les Flandres, en novembre 1917, à l'âge de trente-cinq ans. C'était un homme intuitif d'une grande délicatesse de sentiment, très ouvert aux autres, traitant toutes choses créées avec respect et douceur. Au rayonnement de sa bonté les cœurs s'ouvraient et se confiaient. Ami merveilleux, mais porté à la tristesse, parce qu'il souffrait avec acuité de la limite et de l'imperfection des créatures. « J'ai toujours besoin d'une raison pour me réjouir, avouait-il gentiment, tandis que la plupart des hommes ont besoin d'une raison pour s'affliger. » Hedwige Conrad Martius l'a dépeint avec finesse comme un homme sans protection, essentiellement vulnérable. Mais il ne pesait jamais sur les autres, animant de gaieté les réunions familiales ou mondaines.

A ses élèves, Reinach aimait à répéter : « On ne doit jamais avoir peur d'aller jusqu'au bout des choses, jusqu'à leur ultime réalité. » C'est ainsi qu'il devait lui-même rencontrer le Christ. De pensée claire, de style simple et sobre, il travaillait lentement, avec intensité, ne déposant la plume qu'après s'être exprimé avec une parfaite lucidité, une totale transparence. Ses œuvres complètes, publiées après sa mort, comptent moins de cinq cents pages. Elles procèdent du métaphysicien et du croyant qui s'ignore. Rédigées avec un souci de précision scientifique, des images s'y trouvent qui sont celles d'un artiste et servent l'inspiration du penseur insatisfait. Réfléchir était, selon lui, rester émerveillé devant les choses. Sa vie durant, il sut unir à une inflexible rigueur intellectuelle et au sentiment de sa responsabilité de philosophe, une joie d'enfant devant la beauté de ses découvertes. La vérité qu'il pressentait en son cœur devait s'offrir à lui vers la fin de son existence et apaiser sa soif. Lorsque Edith fit sa connaissance, il venait de publier une étude traitant des *Fondements a priori de la loi civile*. Il y insistait sur l'aspect transitoire des lois particulières, leur opposant la dignité inaliénable de la personne humaine et le caractère objectif permanent de la notion de droit.

Dans ses cours et conférences il se faisait l'interprète et l'avocat du « regard phénoménologique » de Husserl. Sans connaître encore les écrits d'un saint Augustin ou d'un saint Thomas, il préconisait un retour à la connaissance objective, aux « choses mêmes », qui n'était pas étranger au *primum cognitum* de saint Thomas.

Il reçut Edith dans son bureau, une vaste pièce éclairée par deux fenêtres hautes. La table de travail paraissait immense ; auprès d'elle se trouvaient des sièges accueillants et de confortables fauteuils de cuir. Au mur, une très belle reproduction de la Création de l'Homme, de Michel-Ange. Reinach, s'asseyant à côté de sa future élève, la mit à l'aise en quelques mots. Il était de taille moyenne, mince avec de larges épaules, le front très haut, une moustache foncée, et des yeux bruns brillant d'intelligence et de bonté. Il s'enquit des désirs d'Edith, de ses connaissances en phénoménologie et lui promit de l'inscrire dans la section des « avancés », de la présenter à Husserl. Il s'offrit même à l'introduire dans le cercle réservé de la « société philosophique ». « Jamais, note Edith en ses souvenirs, jamais encore je ne m'étais sentie accueillie par un être humain avec une telle bonté... ce fut comme si un monde nouveau s'ouvrait à moi [13]... »

La rencontre avec Husserl eut lieu quelques jours plus tard, celui-ci avait invité les nouveaux venus à assister à des débats préliminaires à la reprise des travaux du semestre. A la fin de la réunion il les appela chacun leur tour, pour faire connaissance. C'était un homme de taille moyenne, sans rien de très marquant, le type même de l'intellectuel et du professeur. D'aspect bienveillant et distingué, fort beau de physionomie, son langage trahissait l'éducation viennoise. Sa gentillesse et sa courtoisie étaient, elles aussi, empreintes du charme souriant de Vienne. Husserl avait alors cinquante-quatre ans. Durant ses études universitaires consacrées aux mathématiques, puis à la philosophie, il avait fortement subi l'influence de Franz Brentano — prêtre catholique qui avait quitté l'Eglise, ne pouvant accepter la définition du dogme de l'infaillibilité du pape.

Brentano lui fit connaître l'œuvre de Bolzano, prêtre, mathématicien et philosophe, mort en 1848 ; il y puisa son amour de la vérité objective. Après la publication de sa *Philosophie de l'arithmétique,* puis des *Recherches logiques,* en 1900, Husserl était entré résolument, comme penseur et comme professeur, dans la lutte contre le relativisme et le subjectivisme contemporains. Edith Stein, rappelant les débuts de la phénoménologie, au congrès de Juvisy, en 1932, en marquera clairement l'origine : « Au départ, les préoccupations de Husserl se portaient vers la philosophie des sciences, plutôt que vers la métaphysique. Mathématicien, il commença par étudier les fondements des mathématiques (*Philosophie der Aritmetik*). Frappé du rapport intime qui unit mathématiques et logique, il en vint à examiner dans leurs principes mêmes l'idée et la fonction de la logique formelle. Le tome I de ses *Recherches logiques* marque la rupture complète avec le relativisme sous toutes ses formes et révèle une orientation nouvelle de la notion de vérité objective [14]. »

---

13. Cité, C, p. 38.
14. Journées d'études de Juvisy, 12 septembre 1932, cahier des éditions du Cerf, intervention d'Edith Stein, p. 43.

Husserl enseignait à ses élèves le culte de la méthode objective de penser, aimait à voir leur esprit se rompre aux disciplines des sciences exactes, et leur inculquait l'horreur de toute formule préconçue. C'est ce renouvellement profond dans la manière d'aborder le problème de la connaissance de l'être qui fit impression sur ses premiers disciples.

Evoquant l'enseignement de Husserl à Göttingen, Edith Stein insistera sur ce point qui lui semble capital :

« Sa réflexion sur l'idée de la logique aboutit à cette conclusion que la logique n'est pas pour nous une science close, mais qu'elle pose une foule de problèmes qu'on ne peut espérer résoudre qu'après de nombreuses études de détail. Ces recherches spéciales, il en donne lui-même toute une série dans le tome second des *Recherches logiques*. A cet effet, Husserl s'est constitué une méthode de recherche propre, une méthode d'analyse des essences objectives.

« Cette orientation dans le sens des essences objectives fit en son temps l'impression d'un renouveau scolastique. C'est avant tout à cette méthode que se rattachent les premiers élèves de Husserl (période de Göttingen) ; elle s'est montrée féconde non seulement pour ce qui est de la solution des problèmes de logique, mais aussi pour ce qui est de l'explication (*Klärung*) des concepts fondamentaux dans tous les domaines de la science... Dans les sciences positives, notamment en psychologie et dans les sciences morales, l'influence de la phénoménologie a, au cours de ces dernières années, provoqué une transformation profonde des méthodes [15]. »

Le premier contact entre le « maître » et Edith fut excellent. Elle l'a rapporté en peu de mots :

— Le professeur Reinach m'a parlé de vous, lui dit Husserl ; avez-vous déjà lu quelque chose de mes œuvres ?

— Les *Recherches logiques,* répondit Edith.

— Comment ? Les *Recherches logiques ?* Mais pas entièrement, je suppose ?

---

15. Journées d'études de Juvisy, 12 septembre 1932, cahier des Editions du Cerf, intervention d'Edith Stein, p. 44.

— J'ai lu tout le tome second, dit la jeune fille...

— Mais c'est une action d'éclat ! s'exclama le professeur
en souriant ; tout le tome second ! Mais c'est héroïque !
Et sur ces paroles l'étudiante fut adoptée [16].

---

16. Cité, C, p. 39.
    Nota : Le lecteur qui serait désireux de se référer à une étude récente
de la phénoménologie pourrait consulter le petit ouvrage de Francis
Jeanson : *la Phénoménologie,* publié chez Téqui, 1951.

La mère d'Edith Stein.

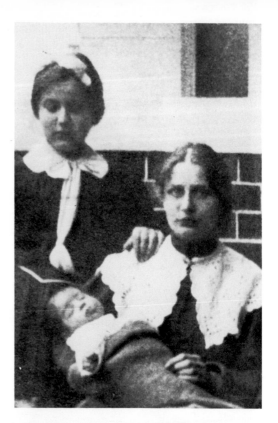

Edith (à gauche)
chez sa sœur Erna à Hambourg.

Edith à Fribourg-en-Brigsau.

Edith Stein.

Rose, la sœur aînée d'Edith Stein.

Mme Hedwige Conrad Martius.

Le jour de sa profession perpétuelle.

Au carmel hollandais d'Echt.

La dernière photo d'Husserl, février 1938.

J + M
Pax ti!

Trente-Wester-
bork Baracke 36
6. IV 42

Liebe Mutter,
      eine Klostermutter
ist gestern abend mit Koff-
fern für ihr Kind angekom-
men und will jetzt Brief-
chen mitnehmen. Morgen
früh geht's! Transport (Schle-
sien oder Tschechoslowakei??).
Das Notwendigste ist
   Wollene Strümpfe
   2 Decken
Für Rosa alles Warme

La dernière lettre d'Edith Stein, envoyée du camp.

Edith Stein en carmélite,
et le timbre émis par la R.F.A. en 1983.

CHAPITRE III

EVOLUTION SPIRITUELLE

Une étudiante, un peu plus jeune qu'Edith, plus tard son amie et celle de Husserl, nous a tracé ce portrait de la jeune philosophe :

« Edith passait tout à fait inaperçue parmi nous, malgré une réputation d'extrême intelligence... elle nous semblait même assez démodée... Toujours assise aux premiers rangs de l'auditoire, petite silhouette, mince, insignifiante, et comme absorbée par l'intensité de sa réflexion. Elle portait ses cheveux sombres et lisses, coiffés en bandeaux et rattachés sur la nuque, en un lourd chignon. Elle était d'une pâleur quasi maladive, et ses grands yeux noirs, au regard intense, se faisaient sévères, presque distants, pour écarter les curiosités importunes. Mais dès qu'on l'abordait en personne, une indescriptible douceur illuminait ses yeux, un sourire ravissant animait son visage, dont les traits conservaient un peu de la candeur et de la timidité de l'enfance. On ne peut pas dire qu'elle fût belle, ni jolie, ni qu'elle possédât ce charme féminin qui séduit les cœurs d'emblée... Mais il y avait quelque chose d'incomparable dans ce visage au front haut, plein de sagesse, aux traits enfantins merveilleusement expressifs — un rayonnement paisible — que l'on ne se lassait pas de contempler [1]... »

1. Sœur Aldegonde Jaegerschmid, O. S. B. Message radiodiffusé pour le 10ᵉ anniversaire de la mort d'Edith Stein, Stuttgart, 1952.

Cette année-là, les leçons de Husserl traitaient *de la nature et de l'esprit,* développant les thèmes du tome deuxième des *Recherches.* Edith se voua à l'étude de la phénoménologie avec toute la passion de sa nature absolue.

Elle devint, par ailleurs, un membre actif des réunions de la société philosophique, dont les adhérents les plus illustres s'étaient quelque peu dispersés : Hedwige Conrad-Martius, fixée depuis son mariage dans une exploitation agricole, à Bergzabern ; Dietrich von Hildebrand, retourné à Munich ; Jean Hering, à Strasbourg ; Alexandre Koyré, qui partit bientôt pour Paris [2]. Enfin, les cours de Max Scheler, dont le génie paradoxal servait une pensée redevenue chrétienne depuis peu, la firent pénétrer dans un univers tout imprégné de catholicisme.

Scheler avait alors une forte influence sur les jeunes phénoménologues. Son ouvrage sur *le Formalisme en Ethique* venait de paraître dans les *Annales Husserl* et la société philosophique l'avait choisi comme thème de discussion pour l'année. A la différence de Husserl, assez effacé, concentré en des recherches portant sur le problème de la connaissance, Max Scheler avait un extraordinaire rayonnement humain. « Il produisait de la philosophie comme il parlait », nous dit un de ses auditeurs. Husserl tranchait sur son milieu par le radicalisme avec lequel il tenait la vérité pour immuable et par la rigueur de sa méthode de travail. « C'était un penseur infatigable, une sorte d'ascète intellectuel », souligne un disciple. Scheler au contraire éblouissait par la richesse de ses dons.

Husserl et ses disciples se préoccupaient des notions abstraites de la connaissance : mathématiques, logique, algèbre.

Pour eux, les questions de personne, de relation avec autrui, ne comptaient guère. Mais Scheler étudiait à leur

---

2. En 1953, Hedwige Conrad-Martius poursuivait ses recherches à Munich, tandis que Dietrich von Hildebrand enseignait à Fordham University, Jean Hering à la Faculté de Strasbourg, et Alexandre Koyré à l'Ecole des Hautes Etudes de Paris.

source des relations non intellectuelles, comme l'amour, la haine, le repentir, qui aboutissent à la prise de conscience de l'autre. Il disait volontiers que l'amour n'est pas aveugle, mais qu'il voit et touche la personne aimée, comme la sympathie nous permet d'éprouver en notre propre cœur ce que ressent l'autre.

Scheler, que certains philosophes, comme Hildebrand, préféraient à Husserl, exerçait un réel ascendant sur le petit cercle de Göttingen. Sa pensée avait quelque chose de génial, de fascinant et d'inachevé.

Sa situation personnelle était assez critique. Il venait de divorcer et se trouvait engagé dans un procès scandaleux avec sa première femme, tandis qu'il vivait pauvrement avec la seconde, Märit Furtwangler. Sa charge lui avait été retirée, il ne lui était pas permis d'enseigner officiellement. Mais il faisait ses conférences dans un petit café, où elles se prolongeaient une partie de la nuit, en d'interminables discussions.

« Il était extrêmement séduisant, note Edith Stein, et donnait une impression de génie. Jamais, chez personne d'autre, je n'ai cru toucher d'aussi près le phénomène du génie. Son visage était beau, ses yeux bleus nous semblaient refléter l'éclat d'un monde supérieur. Cependant ses traits réguliers, ravagés par la vie, faisaient penser — irrésistiblement — au *Portrait de Dorian Gray*, par Oscar Wilde... Sa parole persuasive, parfois dramatique, était toujours captivante. L'un de ses exposés, portant sur la notion de sympathie, m'intéressait particulièrement en fonction de ma thèse... »

Dans cette thèse sur la sympathie ou perception intuitive (*Einfühlung*), Edith, reprenant la théorie de la *fusion affective projective,* de Théodore Lipps, cherchait à compléter la pensée de Husserl en y introduisant la notion phénoménologique d'*autrui*. Ses remarques ont été retenues par Max Scheler dans son livre *Wesen und Formen der Sympathie* (1926) *(Nature et forme de la Sympathie)* [Payot 1950].

« Pour moi, comme pour beaucoup d'autres, écrit Edith, son influence s'étendit bien au-delà du domaine de la philosophie. Je ne sais plus en quelle année Scheler revint à l'Eglise catholique, mais ce temps devait être proche, car il

était rempli d'idées chrétiennes et savait les exposer avec son
brillant esprit et sa force de persuasion. Ce fut pour moi la
révélation d'un univers jusque-là totalement inconnu. Elle ne
me conduisit pas encore à la foi. Mais elle me découvrit un
domaine de phénomènes, que je ne pouvais plus ignorer
désormais. Ce n'est pas en vain que nous apprenions à rejeter
les « épouvantails », à accueillir toutes choses sans préjugés.
Ainsi, les bornes du rationalisme dans lequel j'avais été élevée
sans le savoir sont-elles tombées, je me suis trouvée soudain
face au monde de la foi. J'y voyais vivre sous mes yeux des
personnes que je respectais, avec lesquelles j'étais en relation
quotidienne. Ce fait méritait réflexion. Ce n'était pas encore
l'examen systématique de la question religieuse, mon esprit
étant trop absorbé par d'autres pensées. Mais j'accueillis sans
résistance les idées de mon entourage et j'en subis l'influence
presque à mon insu[3]. »

Quelque temps auparavant l'étude du *Notre Père* en vieil
allemand frappa vivement la jeune fille. Elle ne manquait
jamais de revenir sur cette impression profonde, lorsque, par
la suite, elle relisait ce texte avec des élèves.

Vers la même époque un incident, survenu durant une
course en montagne, la surprit et la toucha. Elle avait dû
passer la nuit dans une ferme isolée. Comme elle se préparait
à reprendre sa route dès l'aube, elle assista par hasard à la
prière commune que faisaient maîtres et serviteurs, avant
d'aller au travail. Ce témoignage de foi ne la laissa pas
insensible.

Ce n'étaient pourtant que des touches fugitives d'une
grâce qu'elle ignorait encore. Entièrement absorbée par ses
études, elle entendait profiter pleinement des possibilités
universitaires de Göttingen. Elle menait de front ses recherches pour sa thèse de doctorat avec les travaux d'histoire
comparée et de linguistique. *Son unique passion était celle de
connaître*[4]. Durant la période de Göttingen, remarque
M. Alexandre Koyré, les premiers disciples de Husserl reçu-

3. Cité, C, p. 50.
4. Idem, C, p. 62.

rent le choc qui devait être décisif pour leur esprit. Délivrés des liens du kantisme, par la méthode objective du maître, ses élèves sont revenus à la *perception de la réalité*. Leur formation les a tournés vers le monde de la pensée objective. Ainsi furent-ils ramenés à l'étude de la scolastique médiévale et de la sagesse antique, et notamment aux œuvres de saint Augustin, Duns Scot, saint Thomas et Platon.

Tandis que le désir de pénétrer l'expérience mystique des saints docteurs a conduit les uns vers le Dieu de la révélation chrétienne, les autres se sont contentés de l'objectivisme antique, ou des spéculations de la philosophie.

Sous l'impulsion de ces idées le formalisme de l'éducation juive d'Edith devait bientôt céder. Son esprit clair pénétra sans peine les labyrinthes de la phénoménologie. Elle devint rapidement la meilleure élève de Husserl, la confidente préférée de sa pensée. Elle raconte en souriant la conquête de Mme Husserl, qui lui parut autrement difficile :

« ... Petite et maigre, le visage pointu, animé par des yeux noirs au regard inquisiteur et toujours étonné, répondant au nom poétique de Malvine, Mme Husserl avait le don de paralyser les meilleurs élèves de son mari par ses remarques incisives et ironiques... elle en voulait à la philosophie du fait que Husserl avait végété douze longues années dans un poste obscur de Halle et elle s'employait avec ardeur à détourner ses trois enfants de cette science peu rentable !... Lorsqu'elle assistait aux cours de son mari, c'était, de son propre aveu, pour y compter les auditeurs [5]... »

Edith, étant véritablement « adoptée » par le ménage Husserl, devint une amie, une habituée de leur maison. Ainsi buvait-elle à la source. Mais sa quête de savoir ne se trouvait pas apaisée. Résumant d'un mot cette période d'ardente

---

5. Un des disciples des temps héroïques à Göttingen remarque à ce propos : « Oui, elle était bien telle à Göttingen, mais il faut dire qu'elle s'est « bonifiée », comme le bon vin, par la suite. Dans la période d'après-guerre, à Fribourg, où Husserl avait une position officielle, elle était charmante avec ses élèves, surtout les « anciens », qui l'appelaient « tante Malvine » ! Et elle eut une attitude très digne et courageuse pendant l'Hitlérisme. »

insatisfaction, Edith écrit : *La soif de vérité était ma seule prière* [6].

La guerre de 1914 vint interrompre les études. Edith se dévoua deux années au soin des blessés, dans l'hôpital autrichien de Mähren. Elle reçut la médaille de la Croix-Rouge. Puis, après avoir passé son doctorat *summa cum laude,* elle fut invitée par Husserl à le rejoindre à l'Université de Fribourg-en-Brisgau. Il venait d'être désigné pour la chaire de philosophie en cette ville. Edith, âgée de vingt-cinq ans, devint son assistante durant le semestre d'été de l'année 1916.

Au mois de novembre 1917, le professeur Reinach fut tué dans les Flandres. Sa jeune veuve, Anna, fit appel à Edith pour l'aider à classer les écrits philosophiques de son mari, en vue d'une publication posthume. Sans hésiter, celle-ci quitta l'Université pour remplir ce devoir d'amitié. Ayant été témoin à Göttingen de l'intimité des époux, de leur bonheur, elle redoutait de trouver son amie comme écrasée par la douleur. Anna lui apparut transformée par l'épreuve. Ses traits délicats étaient empreints de la souffrance profonde qui la déchirait. Mais la force du Christ habitait son âme. La Croix avait pénétré au plus intime de son être, l'avait en même temps blessée et guérie. Le sacrifice, porté dans l'amour, unissait cette âme au Sauveur crucifié. Et de toute sa personne émanait un nouveau rayonnement.

Pressée par la même grâce divine qui travaillait le cœur de son mari, Anna Reinach, profitant d'une permission de celui-ci durant l'été de 1916, l'avait persuadé de recevoir, avec elle, le baptême. Bien qu'attirés par le catholicisme, ils s'étaient adressés au ministre protestant. Quelques heures avant la cérémonie, pris de doutes, Reinach avait interrogé sa femme : « N'avons-nous pas tort de recevoir le baptême de cette manière ? Serait-ce que je ne me sens pas prêt à entrer dans l'Eglise catholique ? » Mais Anna l'avait ainsi rassuré : « Peu importe, nous ne préjugeons pas de l'avenir ; une fois en communion avec le Christ, il nous mènera où il

---

6. Cité, C, p. 68.

voudra ! Entrons dans son Eglise, je ne saurais attendre plus longtemps [7]. »

Devant l'attitude de son amie, Edith, qui se disait athée, ne laissa rien paraître des sentiments qui l'agitaient, mais l'impression qu'elle reçut alors fut ineffaçable.

Peu de temps avant sa mort, devenue Carmélite, elle confiait à un prêtre : « Ce fut ma première rencontre avec la Croix, avec cette force divine qu'elle confère à ceux qui la portent. Pour la première fois, l'Eglise, née de la Passion du Christ et victorieuse de la mort, m'apparut visiblement. Au moment même mon incrédulité céda, le judaïsme pâlit à mes yeux, tandis que la lumière du Christ se levait en mon cœur. La lumière du Christ saisie dans le mystère de la Croix. C'est la raison pour laquelle, prenant l'Habit du Carmel, je voulus ajouter à mon nom celui de la Croix [8]... »

Cette rencontre fut décisive. Cependant le germe de grâce déposé dans l'âme d'Edith devait y travailler en secret quatre longues années, mûrissant en silence. Dès son retour à Fribourg, Edith retrouva ses travaux absorbants. Husserl avait l'habitude de noter en sténographie toutes les pensées qui lui venaient à l'esprit. La jeune assistante se pencha sur ce nouveau genre de manuscrit, déchiffrant les textes, en tirant l'essentiel pour la publication. Elle élabora ainsi l'édition d'un ouvrage sur *la Conscience du temps,* extrait des *Vorlesungen,* qui parut à l'époque. Heidegger et Koyré se trouvaient près de Husserl. Edith portait à ce dernier une profonde amitié qui dura jusqu'à sa mort. Avec le premier, dont les conceptions philosophiques divergeaient de celles de Husserl, elle eut de nombreux échanges de vues, dont nous trouvons un rappel dans son propre ouvrage : *Etre fini et Etre éternel.*

Au congrès de Juvisy, elle distinguera très clairement les positions de Husserl de celles de Heidegger :

« Je dirai que, chez Husserl, la phénoménologie est *une philosophie des essences,* chez Heidegger, *une philosophie*

---

7. Ces souvenirs d'Anna Reinach (maintenant catholique), sont cités par Oesterreicher, dans *Walls are crumbling*, p. 133.
8. Cité, C, p. 63.

de l'existence. Le Moi du philosophe d'où l'on part pour atteindre au sens de l'être est pour Husserl le Moi pur, pour Heidegger la personne *in concreto*. Peut-être cette recherche d'une philosophie de l'existence est-elle précisément un mouvement de réaction contre la tendance de Husserl à faire abstraction de l'existence et de tout ce qu'il y a de concret et de personnel [9]. »

En plus des recherches qu'elle poursuivait pour son compte, Edith trouvait le temps de faciliter la tâche des nouveaux élèves. Ceux-ci, peu rompus pour la plupart aux méthodes de pensée et au vocabulaire du maître, suivaient ses leçons avec peine. Vers la fin de sa vie, Husserl avouera à une ancienne élève qu'il conservait comme un scrupule le souci d'avoir proposé, à des disciples trop jeunes et manquant de maturité, des notions indéchiffrables pour leur intelligence. Pour aider les nouveaux venus, Edith organisa des cours d'introduction à la phénoménologie. Comme on lui demandait gravement : « Ainsi, vous aussi, vous enseignez la philosophie à Fribourg ? » elle répondit non sans malice : « Mais non, je me contente de tenir un jardin d'enfants pour apprentis philosophes ! »

« C'est en ce jardin d'enfants, écrit sœur Aldegonde, que j'ai découvert Edith. Elle avait le don de l'enseignement et nous formait avec une patience illimitée, une bonté attentive et silencieuse. Toujours aimable, sans l'ombre d'ironie ni de critique, elle accueillait nos questions malhabiles avec un calme, une égalité d'humeur, un dévouement, qui faisaient que nous ne lui laissions pas une minute à elle !

« ... Inlassablement, elle nous encourageait à progresser sur la voie austère de la connaissance intellectuelle. La flamme qui la dévorait gagnait nos propres cœurs. Nous aussi, nous étions enivrés de la pure joie de connaître et nous nous laissions conduire par elle, tandis que le pressentiment d'un bonheur unique nous faisait tressaillir [10]. »

---

9. Cahier des éditions du Cerf : *La phénoménologie*, Juvisy, 12 septembre 1932.
10. Souvenirs de sœur Aldegonde Jaegerschmid, O. S. B.

CHAPITRE IV

LA CONVERSION

Durant ses années d'études et de recherches, Edith Stein avait rencontré Hedwige Conrad-Martius et les deux « philosophes » s'étaient liées d'amitié. Depuis son mariage, Mme Conrad-Martius habitait Bergzabern dans le Palatinat : un vaste domaine planté d'arbres fruitiers. Son mari et elle avaient adopté un enfant et menaient une vie pauvre et laborieuse, exploitant eux-mêmes leur terre. Cependant la maison demeurait largement ouverte aux amis du cercle philosophique de Göttingen et devenait, en temps de vacances, un lieu de rencontres et un centre de discussions.

Edith y venait volontiers pour des périodes plus ou moins longues. C'est à la fin d'un séjour d'environ dix-huit mois qu'elle devait être baptisée dans l'église de Bergzabern. Hedwige Conrad-Martius, évoquant cette période, nous dit que leur existence à toutes deux était assez rude. Elles cultivaient le domaine et tenaient la maison, aidées par un jeune couple de paysans.

« Nous le voulions ainsi, écrit-elle, notre désir étant de vivre pauvrement en conformité avec un idéal religieux profondément enraciné. Je me souviens qu'une fois nous avons passé notre journée à transporter du charbon et le professeur Koyré, qui se trouvait chez nous en visite, paraissait hors de

lui, ne pouvant supporter de voir des femmes se livrer à une
tâche si pénible. Le soir venu, nous étions trop fatiguées pour
discuter philosophie et, en dehors des rares moments où nos
amis venaient nous voir, nous consacrions nos soirées aux
raccommodages... ou bien à dormir ! C'était une sorte de
crise de croissance, remarque Mme Conrad-Martius, où l'attitude de vie était pratiquement chrétienne sans que le problème de la foi soit directement abordé. « Edith, ajoute-t-elle,
était un être bon et sage, d'un inépuisable dévouement, mais
elle restait très secrète et silencieuse. D'humeur parfaitement
égale, elle semblait toujours concentrée et comme absorbée
en une méditation ininterrompue... Nous étions liées intimement, mais je ne sais pas grand-chose que je puisse dire de
son évolution intérieure [1]. »

Dans le livre d'Oesterreicher, *Les murs s'écroulent,* nous
relevons quelques souvenirs de cette période qui proviennent
de la même source. Ainsi, Edith accompagnait Hedwige
Conrad-Martius au temple protestant pour le service du
dimanche. Elle lui fit un jour cette remarque : « Le ciel est
fermé chez les protestants, mais il est ouvert chez les catholiques [2]. »

Dès avant sa conversion Edith avait un profond respect
pour l'Eucharistie, pressentant là quelque mystère ineffable.
Enfin, comme le faisaient certains phénoménologues, elle
lisait les œuvres de sainte Thérèse d'Avila, sans doute parce
que la sainte possède mieux que quiconque le don de retracer
de manière vivante ses « expériences ».

Il semble bien que ce soit la lecture de la vie de sainte
Thérèse qui porta à Edith le coup définitif de la grâce et lui
fit demander le baptême. Dans la biographie rédigée par la
Mère Prieure du Carmel de Cologne nous trouvons ce récit,
attribué à Edith :

« Je pris un livre au hasard dans la bibliothèque, il portait
ce titre *Vie de sainte Thérèse par elle-même,* je commençai
à le lire, aussitôt je fus captivée et ne pus m'arrêter avant de

---

1. Lettres de Mme Conrad-Martius, juillet et novembre 1952.
2. *Walls are crumbling,* p. 337.

l'avoir achevé. Quand je fermai le livre, je me dis : c'est la vérité[3]. »

L'épisode se situe durant l'été de 1921, pendant une absence des Conrad-Martius, qui, laissant leur amie seule à la maison, lui avaient donné les clés de la bibliothèque... La nuit se serait passée à cette lecture et, dès le matin, Edith s'étant procuré un missel et un catéchisme aurait commencé seule son instruction.

Interrogée à ce sujet, Hedwige Conrad-Martius dit n'avoir pas été mise au courant de l'aventure intérieure de son amie. Elle ne se rappelle pas non plus avoir possédé la *Vie de sainte Thérèse par elle-même,* mais une vie de la sainte écrite par M. de Villefore, parue en 1848, aux Editions de Tournai, à laquelle était jointe la bulle de canonisation. Cette *Vie,* elle aussi l'avait parcourue à cette époque avec un vif intérêt. Cependant, conclut-elle, « comme la mémoire d'Edith a toujours été excellente et que la mienne me fait souvent défaut, je n'oserais mettre en doute un témoignage venant d'elle ».

Il est certain qu'Edith lut sainte Thérèse, puisque, plus tard, Husserl, pour tenter de comprendre sa conversion, se penchera à son tour sur les œuvres de la sainte. Et sans doute cette lecture a-t-elle été le point culminant et l'aboutissement de longues recherches. Un texte d'Edith Stein sur la *Causalité psychique,* qui parut dans les *Annales Husserl,* l'année de son baptême, en 1922, laisse entrevoir quelque chose du chemin parcouru[4].

« Je fais des plans pour l'avenir et j'organise en conséquence ma vie présente. Mais je suis au fond convaincue qu'il va se produire quelque événement qui va jeter par-dessus bord tous mes projets. C'est la foi authentique et vivante à qui je refuse encore de donner mon consentement, c'est elle que j'empêche de devenir active en moi.

---

3. Cité, C, p. 68.
4. *Annales Husserl,* 1922, tome V, p. 76. Ce texte est présenté dans l'étude de Marie Bienias comme *antérieur* à la conversion d'Edith Stein ; cf. article publié dans la *Katholische Frauenbildung,* n° 11, novembre 1952.

« Il existe un état de repos en Dieu, de totale suspension de toute activité de l'esprit, dans lequel on ne peut plus ni dresser des plans, ni prendre de décisions, ni même rien faire, mais où, ayant remis tout l'avenir au vouloir divin, on s'abandonne entièrement à son destin. Cet état, je l'ai éprouvé quelque peu, à la suite d'une expérience qui, dépassant mes propres forces, consuma totalement mes énergies spirituelles, et me déroba toute possibilité d'action. Comparé à l'arrêt de l'activité faute d'élan vital, le repos en Dieu est quelque chose de tout à fait nouveau et d'irréductible. Auparavant, c'était le silence de la mort. A sa place succède un sentiment d'intime sécurité, de délivrance de tout ce qui est souci, obligation et responsabilité par rapport à l'agir. Et, tandis que je m'abandonne à ce sentiment, voici qu'une vie nouvelle commence peu à peu à me combler et — sans aucune tension de ma volonté — à me pousser à de nouvelles réalisations. Cet afflux vital semble s'épancher d'une Activité et d'une Force, qui n'est pas la mienne, et qui, sans faire aucune violence à la mienne, devient active en moi. Le seul présupposé nécessaire pour une telle renaissance spirituelle semble être cette capacité passive d'accueil qui est au fond de la structure de la personne. »

Ces lignes nous paraissent refléter une expérience spirituelle authentique. L'événement pressenti, le baptême, devait effectivement transformer la vie de la jeune philosophe.

Interrogée un jour sur les raisons de sa conversion, Edith aurait simplement répondu : « Mon secret est à moi », et elle semble bien avoir gardé pour elle le mystère de la révélation de Dieu à son âme. Mais une fois reconnue la voix du Seigneur, elle y répondit fidèlement ; les vingt années qui s'écoulent de son baptême jusqu'à sa mort en portent témoignage.

Elle poursuivit en silence sa préparation et quand elle pensa avoir suffisamment pénétré l'enseignement du petit catéchisme et du missel, elle se rendit à l'église de Bergzabern pour assister à la messe :

« Rien ne me demeura étranger, écrit-elle, et je suivis jusqu'au moindre détail des cérémonies. Un prêtre vénérable,

M. Breitlig, curé de Bergzabern, monta à l'autel et célébra la messe dans un grand recueillement. J'attendis la fin de son action de grâces pour le rejoindre au presbytère. Après un bref entretien, je lui demandai le baptême. Il me regarda fort surpris, me répondant qu'une certaine préparation était requise pour l'admission dans l'Eglise :

« Depuis combien de temps êtes-vous instruite dans la foi catholique, me dit-il, et par qui ? » Pour toute réponse je ne sus que balbutier : « Je vous en prie, révérend père, interrogez-moi [5]. »

Il s'ensuivit une conversation prolongée, durant laquelle Edith fut examinée sur l'ensemble de la doctrine chrétienne. Rempli d'admiration pour le travail de la grâce, que Dieu lui découvrait en cette âme, le prêtre accéda à son désir. Il convint de lui donner le baptême le 1er janvier 1922. L'heureuse catéchumène passa la veillée en prière, près du tabernacle et fut revêtue de la grâce divine au seuil de l'année nouvelle. Le registre des baptêmes de l'église de Bergzabern porte l'indication suivante :

« Le 1er janvier de l'an du Seigneur 1922, *Edith Stein*, âgée de trente ans, docteur en philosophie, a été baptisée. Née à Breslau, le 12 octobre 1891, de : Siegfried Stein et Augusta Courant, elle est venue du judaïsme (à l'Eglise) après instruction et préparation convenables. Elle reçut les noms de Thérèse, Hedwige. Sa marraine était Mme Hedwige Conrad, née Martius, domiciliée à Bergzabern. »

Signé *Eugène Breitlig, Curé* [6].

Edith avait voulu ajouter à son prénom celui de Thérèse pour marquer sa gratitude envers la sainte, celui d'Hedwige par affection pour sa marraine. Evoquant cette journée Mme Conrad-Martius dira : « Le plus beau de tout, c'était sa joie radieuse, une joie d'enfant ! »

Aussitôt baptisée, Edith fit sa première communion, et

5. Cité, C, p. 69.
6. Ce document est donné par Elisabeth Kawa dans sa biographie : *Edith Stein*, « *Die vom Kreuz gesegnete* », 1953, *Morus-Verlag*, Berlin.
Il est à remarquer que Mme Conrad-Martius, bien que protestante soit inscrite comme marraine au baptême d'Edith.

de ce jour l'eucharistie devint son pain quotidien. Ses amis rapportent que depuis son entrée dans l'Eglise tout son être rayonnait d'une joie lumineuse, comparable à celle qui resplendit au front d'une jeune mariée. L'évêque de Spire, Mgr Sebastian, la confirma dans sa chapelle particulière, pour la fête de la Purification et, à Spire, elle rencontra le chanoine Schwind, qui l'accueillit comme son enfant, dans sa propre famille, et devint son directeur de conscience. Quand il mourut le 1er septembre 1927, Edith envoya ce message débordant de reconnaissance à ses confrères du chapitre de la cathédrale : « Sa direction, écrivait-elle, était paisible et sûre, tout ensoleillée... Il enseignait à l'âme à trouver la paix et l'abandon là où tout appui humain semblait faire défaut. Il ne considérait les choses que sous leur aspect éternel. De ce fait, son être était comme imprégné d'une sainte et profonde gravité : bonté et fermeté, sérieux et joie d'enfant, grandeur et humilité, tels étaient les contrastes qui s'harmonisaient en son âme, prenant racine dans un immense amour de Dieu... »

Il restait cependant une démarche douloureuse à accomplir, devant laquelle le cœur d'Edith défaillait secrètement : annoncer sa conversion à sa mère. La nouvelle risquait de porter un coup brutal au cœur de la vieille maman, de blesser une merveilleuse intimité, faite de tendresse et de confiance réciproques ; voire de creuser entre la mère et la fille un abîme d'incompréhension. Que faire ? Edith ne songea pas à employer le détour d'une lettre d'explication. Elle alla droit au but, partit pour Breslau, se rendit à la demeure familiale et là, s'agenouillant près de sa mère et plongeant son regard dans le sien, elle murmura avec douceur et fermeté : « Maman, je suis devenue catholique [7]. »

Alors cette mère héroïque, qui, des années durant, avait tenu tête à l'épreuve avec grandeur, menant de front l'éducation de sept enfants et la direction des affaires, cette femme forte sentit son courage l'abandonner, elle pleura.

Edith ne s'y attendait pas. Jamais elle n'avait vu pleurer

---

7. Cité, C, p. 70.

sa mère ! Elle avait prévu des reproches, la violence, une rupture. Mais sa mère pleurait. Bientôt les larmes d'Edith se
mêlèrent aux siennes. En cet instant ces deux êtres généreux,
fortement unis par les liens de la chair, comprirent qu'ils
venaient à un carrefour. Désormais les chemins de leur vie
prendraient des directions diamétralement opposées. Chacune
à sa manière trouva dans sa foi respective le courage d'offrir
à Dieu le sacrifice demandé.

Une amie catholique de la famille Stein, témoin de l'impression que produisit la conversion d'Edith sur les siens, fait ce
commentaire :

« Je demeure convaincue que c'est la transformation
opérée par la grâce en Edith, la force surnaturelle qui l'animait, qui ont désarmé Mme Stein. Sans comprendre, cette
femme craignant Dieu sentit sa fille comme immergée dans un
mystère de grâce divine. Et malgré sa douleur extrême, elle
s'inclina, se reconnaissant vaincue et impuissante à lutter.
Dès la première rencontre, tous ses amis ont pu constater
à quel point Edith était transformée, bien qu'elle mît tout
son amour et une grande vigilance à ne laisser paraître aucun
changement dans ses rapports avec les siens [8]. »

De son côté, Gertrude von Le Fort, qui connut Edith après
sa conversion et la revit une fois entrée au Carmel, nous écrit
combien elle fut frappée de la profondeur de son affection
pour sa mère : « De nos entretiens j'ai conservé surtout le
souvenir de l'amour d'Edith envers sa mère, du souci qu'elle
avait de son bien spirituel ; elle aurait tant désiré qu'elle se
fît chrétienne... Si Dieu a comblé son vœu, je ne saurais le
dire... [9] »

Edith demeura six mois dans sa famille, entourant sa
mère de respect et de tendresse. Elle l'accompagnait à la
synagogue, partageait ses jeûnes et se pliait en tout à l'horaire
de sa vie quotidienne. Sa mère l'observait en silence. Elle
savait qu'il était vain de tenter de la reprendre. Cependant,
lorsque le rabbin lisait d'une voix grave : « Ecoute, ô Israël,

---

8. Cité, C, p. 70.
9. Lettre de G. von Le Fort, du 8-10-1952.

ton Dieu est Unique », elle ne pouvait s'empêcher de saisir le bras de son enfant, lui murmurant à l'oreille : « Tu entends, ma fille, notre Dieu est Unique [10]. »

De retour à Fribourg, Edith ne s'y trouva plus à l'aise. Elle aspirait au don total et confia à plusieurs reprises au chanoine Schwind son désir d'entrer en religion. Celui-ci ne voulut pas entendre parler de couvent. Mais sachant l'abondance des grâces reçues par Edith et comprenant son désir d'une vie toute donnée à la prière et à l'étude des choses de Dieu, il lui procura lui-même un lieu de retraite. Il lui fit connaître les Dominicaines enseignantes de Sainte-Madeleine de Spire, qui la reçurent comme professeur. Edith devait passer huit années à l'ombre de leur monastère, de Pâques 1923 à Pâques 1931, partageant leur vie pauvre et retirée. Elle fut chargée des cours supérieurs d'allemand au lycée des jeunes filles et des conférences destinées à la formation des religieuses. Pour l'accueillir, elle trouva le mot VERITE inscrit au fronton du monastère et la charité fraternelle des moniales. Son âme se dilata dans cette atmosphère de prière et de silence. Tout le temps qui n'était pas dû à son enseignement elle le consacra à Dieu. Ainsi la lecture de saint Thomas allait illuminer son esprit, tandis qu'en de longs moments de silencieuse contemplation Dieu lui parlerait au cœur.

---

10. Cité, C, p. 72.

CHAPITRE V

DE HUSSERL A SAINT THOMAS

Quelques années plus tard, jetant un regard sur cette période de sa vie tout entière consacrée à approfondir sa connaissance des choses divines et à ouvrir le cœur et l'intelligence de ses élèves au don de Dieu, Edith écrira, en 1928 :

« Dans le temps qui a immédiatement précédé et suivi ma conversion, je désirais mener la vie religieuse, c'est-à-dire laisser de côté les événements de la terre pour ne plus m'occuper que des choses de Dieu. Cependant j'ai compris peu à peu qu'il nous était demandé autre chose dans le monde et que même dans une vie contemplative tout lien extérieur ne doit pas être tranché.

« Il m'est apparu à la lecture de saint Thomas qu'il était possible de mettre la connaissance au service de Dieu et c'est alors, mais alors seulement, que j'ai pu me résoudre à reprendre sérieusement mes travaux. Il m'a semblé, en effet, que plus une personne est attirée vers Dieu, plus elle doit ensuite sortir d'elle-même pour aller vers le monde, afin d'y porter l'amour divin [1]. »

L'étude de saint Thomas interdisait à Edith Stein un retour pur et simple à ses travaux philosophiques antérieurs.

---

1. Cité, C, p. 79.

Son esprit se trouva comme partagé entre la notion phénoménologique des choses, qui avait jusque-là présidé à sa
pensée, et la doctrine thomiste de l'être. Elle essaya de faire
le point, d'analyser ces deux conceptions de l'univers. Un
premier essai intitulé *De la Phénoménologie de Husserl à la
philosophie de saint Thomas* parut en 1929 chez Niemeyer,
à Halle. Dans son ouvrage principal : *Etre fini et Etre éternel
(Endliches und Ewiges Sein),* elle cherchera par la suite à prolonger saint Thomas philosophe, et non le thomisme, par les
acquisitions valables de la phénoménologie.

Nous donnons ci-dessous l'analyse du premier écrit d'Edith
Stein destiné à confronter Husserl et Thomas d'Aquin. Il
marque bien l'évolution de sa pensée au lendemain de sa
conversion. Cette étude sera suivie d'un bref aperçu des
relations entre Husserl et ses premiers disciples et Husserl
et Edith Stein.

Ainsi le lecteur sera-t-il mieux préparé à suivre Edith
Stein dans cette marche ascendante, qui devait la conduire,
au cours de dix années, de Husserl à Thomas d'Aquin et
Jean de la Croix, et s'achever par son entrée au Carmel.

Edith Stein a déjà terminé la traduction allemande du
De Veritate, de saint Thomas, quand elle entreprend de comparer *la Phénoménologie de Husserl et la philosophie de
saint Thomas*. Elle fait porter son étude sur certains thèmes
qui lui paraissent essentiels et qu'elle se propose de développer
plus tard. Elle le note elle-même, ce n'est pas le « thomisme »
qui l'intéresse, mais la pensée originelle de saint Thomas.
Elle relève l'influence de Brentano sur Husserl. N'est-ce pas
lui qui a donné à Husserl le goût de la clarté cristalline ?
Brentano avait été formé par la philosophie catholique traditionnelle. Mais ce qui passe de Brentano à Husserl, c'est moins
une doctrine qu'une attitude d'esprit. La *Philosophia Perennis,*
Edith Stein se contente de la définir comme le véritable esprit
philosophique, commun à tout grand philosophe qui cherche
à découvrir l'intelligibilité de l'univers. Là-dessus Husserl
et Thomas sont d'accord. Ils ont la conviction qu'une intelligibilité, une raison, est le fond de tout, et que notre connais-

sance peut, en procédant scientifiquement, la découvrir. Mais
ici commence la différence.

Saint Thomas distingue un ordre de vérités surnaturelles,
qui relève de la révélation et de la foi, et un ordre de vérités
naturelles, qui relève de la raison naturelle. Pour Husserl,
qui ne parvient pas à s'évader du monde kantien, la raison,
de qui seule relèvent le vrai et le faux, est au-dessus et au-
delà de la distinction entre le naturel et le surnaturel.

Sans doute Husserl fait place à la foi, et à l'attitude religieuse ; mais elle porte sur l'irrationnel, sur ce qui n'est ni
vrai ni faux. La voie où Edith Stein va s'engager pour rap-
procher saint Thomas de Husserl est insolite et ne peut
aboutir, aux yeux d'un thomiste, qu'à confondre théologie et
philosophie. Elle propose de n'admettre qu'une discipline,
qu'elle appelle philosophie. Cette philosophie est l'œuvre de
la raison, mais d'une raison entendue dans un sens assez large
pour comprendre en elle d'une part la raison surnaturelle
instruite par la révélation, d'autre part la raison naturelle
livrée à ses propres forces. La philosophie dépend dès lors
de la foi de deux façons : d'abord en ce sens qu'elle doit inté-
grer en elle les vérités de la foi ; ensuite en ce sens que la foi,
étant la plus haute certitude, doit juger des acquisitions de
la raison, et finalement fonder la certitude de la philosophie.
Edith Stein reconnaît que de telles notions ne se trouvent pas
expressément chez saint Thomas — on verrait, en effet, qu'il
y a chez saint Thomas des notions différentes — mais elle
pense interpréter fidèlement son attitude. Plus tard, dans la
grande introduction à *Endliches und Ewiges Sein,* elle modi-
fiera ses vues et rejoindra, croyons-nous, la pensée traditionnelle.

Sur quoi fonder la certitude philosophique ? Elle repose
tout entière sur la certitude de foi. La foi est un don de Dieu.
Elle se justifie elle-même. Elle justifie par surcroît les acquisitions de la raison naturelle qu'elle agrée et, en se justifiant
elle-même, elle fonde du même coup toute la philosophie.
Nous sommes loin, ici, on le voit, non pas seulement du
« thomisme », mais de saint Thomas. Pour lui, la philosophie
première, la métaphysique est la suprême sagesse de l'ordre

naturel ; outre son rôle expositif (ontologie et théologie naturelle) elle a un rôle défensif (critique) : elle défend elle-même ses principes, en acculant l'adversaire à l'absurde.

La doctrine sacrée est, elle aussi, une sagesse, mais d'un autre ordre, et fondée sur la révélation ; elle a pareillement un rôle expositif (théologie doctrinale) et un rôle défensif (apologétique). La troisième sagesse n'est pas discursive : c'est la sagesse mystique. Toutes ces choses sont exposées avec limpidité dès la première question de la *Somme théologique*. Décharger la philosophie première du soin de défendre elle-même ses principes pour la suspendre à la foi, c'est méconnaître la pensée de saint Thomas sur un point capital et finalement évacuer la philosophie première elle-même.

De son point de vue Edith Stein oppose deux types de philosophies : d'une part la « philosophie dogmatique », dont le point de départ est la certitude de foi ; d'autre part, la « philosophie critique », c'est-à-dire la philosophie contemporaine qui, ayant rompu avec la foi, a pour première tâche de se mettre en quête d'un point de départ. Husserl recommence à partir du doute cartésien, de la critique kantienne de la raison pour finir par poser les fondements de sa philosophie première dans la sphère « *d'une conscience transcendantalement purifiée* ». Edith Stein pense à bon droit qu'il y a place, dans le processus philosophique de saint Thomas, pour une réflexion critique. Elle excuse le saint docteur de ne l'avoir pas développée — sans peut-être se rendre compte toutefois de tout ce qu'on peut trouver là-dessus dans ses œuvres, et bien sûr chez ses grands commentateurs. Elle décrit en deux pages admirables la tâche surhumaine que saint Thomas a entreprise et qu'il a menée à terme. Identifiant toujours dans son esprit théologie et philosophie, Edith Stein pose la question de *la vérité première* de la philosophie. Pour saint Thomas, dit-elle, « la première vérité, le principe et le critère de toute vérité n'est autre que Dieu » ; voici donc Dieu devenu « le premier axiome philosophique ». La tâche de la philosophie première est de partir de Dieu et de « développer l'idée de Dieu, le mode de son être et de son connaître ». (De nouveau, nous voilà loin de saint Thomas philosophe.) Cette philosophie première, cette ontologie, qui embrasse en elle la logique, la théorie de la connaissance, l'éthique, serait, pour saint Thomas, ce que la « phénoménologie transcendantale » est pour Husserl.

« La question que se pose la méditation transcendantale, la voici : pour une conscience que je ne peux scruter que du dedans, comment se construit le monde : monde intérieur et monde extérieur, monde de la nature et monde de l'esprit, le monde des biens matériels et aussi le monde disposé par le sens religieux, le monde de Dieu ? » Tout l'effort de Husserl a été de résoudre cette question. Ici prend place la critique la plus forte, la plus décisive, qu'Edith Stein ait jamais faite de Husserl.

« La voie de la phénoménologie transcendantale, dit-elle, a abouti à mettre au point de départ et au centre de la recherche philosophique le sujet humain. Toutes choses sont référées au sujet. Le monde, qui se construit dans les actes du sujet, reste toujours un monde *pour* le sujet. Impossible, par cette voie — et c'est l'objection constante que faisait au fondateur de la phénoménologie le cercle de ses élèves — de parvenir à sortir de la sphère de l'immanence pour retrouver cette objectivité de laquelle il était pourtant parti et qu'il importait de garantir : *impossible de retrouver une vérité et une réalité exempte de toute relativité subjective. Jamais l'intellect qui cherche la vérité ne se satisfera de la transposition qui résulte de la recherche transcendantale, et qui consiste à identifier l'existence avec un processus d'auto-manifestation de la conscience. Et cette transposition — avant tout parce qu'elle relativise Dieu lui-même — est en contradiction avec la foi.* Nous touchons ici à l'opposition la plus tranchante qui sépare la phénoménologie et la philosophie catholique : d'une part, l'orientation est *théocentrique* ; d'autre part, elle est *égocentrique*. »

Nous dirions que la philosophie de saint Thomas est centrée sur l'être existentiel directement connu et sur ses causes, dont la première est Dieu. La philosophie de Husserl, ayant commencé par mettre entre parenthèses l'être existentiel directement connu, essaie de se centrer sur la prise de conscience réflexive que j'en peux avoir.

« En fait, continue Edith Stein, c'est contre l'idéalisme de Husserl que ses disciples dirigèrent leurs attaques principales. Mais sans résultat. Les processus de pensée qui paraissaient à Husserl décisifs se révélaient impuissants à convaincre ses opposants... Sur ce point les voies de la phénoménologie se sont éloignées toujours plus de la ligne de la philosophie médiévale. »

Selon saint Thomas, nous l'avons dit, la *métaphysique* comporte une partie expositive, qu'on pourrait appeler *ontologie,* et une partie défensive, qu'on pourrait appeler *critique.* La phénoménologie distinguerait autrement les mots d'ontologie et de métaphysique. Husserl appelait ontologie la discipline qu'il déclarait antérieure à toute démarche positivo-scientifique et qu'il regardait comme exempte de tout apport empirique, à savoir la logique pure, la mathématique pure, la science naturelle pure, etc. L'ontologie, pour lui, n'est pas l'étude de notre univers existentiel ; elle est l'étude d'une essence épurée de l'univers capable de convenir à tous les univers possibles, comme la définition du triangle convient à tous les triangles possibles. Ce que saint Thomas appelle *métaphysique* — il n'emploie pas le mot d'ontologie — est, au contraire, l'étude de notre univers existentiel, mais saisi dans ses causes et ses lois les plus profondes : en sorte qu'Edith Stein ne verrait pas d'impossibilité, et peut-être même pas d'inconvénient, à scinder la philosophie première de saint Thomas en deux disciplines : d'abord une ontologie, qui étudierait par exemple, entre autres choses, les lois de la connaissance en tant que connaissance ; puis une métaphysique, qui verrait comment ces lois, par exemple la loi de la connaissance, se vérifient dans la connaissance de l'ange, dans la connaissance du premier homme, dans la connaissance de l'âme séparée du corps après la mort. Sur ce point nous serions plus réservée qu'Edith Stein : la philosophie de saint Thomas est avant tout une philosophie de l'être réel, en qui l'essence et l'existence sont inséparables. Il importe souverainement, croyons-nous, d'empêcher qu'elle soit scindée entre, d'une part, une philosophie des *idées,* qui rejoindrait Platon, et d'autre part, une philosophie du *fait,* qui rejoindrait Nietzsche.

Le dernier point du travail que nous résumons analyse, d'une manière développée, la notion d'intuition chez Husserl et chez Thomas d'Aquin. Certes, le sens de ce mot variera profondément ici et là. Pourtant Edith Stein croit pouvoir relever entre les deux philosophes un accord portant sur trois points. Pour l'un et pour l'autre — car cela se vérifierait même chez Husserl — 1. toute connaissance commence par les sens. 2. toute connaissance humaine naturelle résulte d'une élaboration intellectuelle. 3. l'intuition présente un double aspect, actif et passif.

Voici comment Edith Stein résume elle-même toute son étude : « Husserl et Thomas d'Aquin croient que la tâche de la philosophie est de nous donner la compréhension du monde la plus universelle et la plus solidement fondée à laquelle il soit possible d'accéder. Husserl cherche son point de départ « absolu » dans l'immanence de la conscience ; pour Thomas, au contraire, ce point de départ est la foi. La phénoménologie veut se constituer comme une science de l'être et montrer comment une conscience, grâce à ses fonctions spirituelles, peut construire un monde et éventuellement tous les mondes possibles ; dans cette perspective *notre* monde représente pour elle une de ces diverses possibilités. Quelle est la constitution concrète de notre monde ? C'est aux disciplines positives de le dire. Leurs présupposés pratiques et théoriques sont discutés dans la recherche des possibilités qui est affaire de la philosophie. Thomas, lui, ne s'occupe pas des mondes possibles, mais de la plus parfaite représentation possible de ce monde-ci. Quel sera le fondement d'une telle connaissance ? Sans doute les recherches sur l'être, mais aussi tous les faits que nous découvrent l'expérience naturelle et la foi.

« Le point de départ unificateur à partir duquel se déploie tout l'ensemble de la problématique philosophique, et auquel elle ne cesse de se référer, c'est, pour Husserl, la conscience transcendantalement purifiée ; et c'est, pour Thomas, Dieu et son rapport aux créatures. »

Cette étude est importante. Elle nous montre comment, sous l'action secrète de la grâce, la grande âme d'Edith Stein brise les sortilèges de l'idéalisme, comme elle retrouve magnifiquement le sens de l'être, pour se tourner immédiatement vers Dieu, vers le Dieu de la pleine révélation chrétienne et de la foi. Elle nous montre, en outre, en Edith Stein, des dons philosophiques exceptionnels, une parfaite clarté de conception, une admirable netteté de langage. Mais en même temps elle nous laisse voir, à ce moment de son évolution intellectuelle, une méprise dans sa manière d'interpréter saint Thomas. Pour échapper au sophisme de l'idéalisme, elle ne voit d'autre issue que de se jeter dans un certain fidéisme. En sorte qu'il lui devient impossible de dénoncer, du point de vue philosophique lui-même, les contradictions internes de la phénoménologie husserlienne [2].

Husserl et ses disciples [3].

Les disciples de Husserl ont cru voir une rupture entre sa première manière, qui leur semblait réaliste, et sa dernière manière qui le ramenait à l'idéalisme. C'est alors qu'ils l'ont quitté. Mais Husserl lui-même n'a vu, dans toute l'aventure de sa recherche, qu'une évolution progressive. Il s'est toujours déclaré croyant. Il pensait que sa philosophie, qu'il regardait comme la seule vraie et qui devait à ses yeux supplanter le thomisme, pourrait servir simultanément les deux confessions, la protestante et la catholique. On se rappelle d'ailleurs que, pour lui, la philosophie est seule compétente en matière de vrai et de faux ; et que le sentiment religieux,

2. Pour une critique de la phénoménologie husserlienne, voir Jacques Maritain, *Les degrés du savoir*, Paris, 1932, pp. 193-208.
3. Pour éclairer l'évolution de la pensée de Husserl, nous donnons en annexe un extrait du journal d'une de ses élèves devenue bénédictine, sœur Aldegonde Jaegerschmid. Ce journal rapporte les principaux entretiens qu'elle a eus avec le philosophe, les trois dernières années de sa vie, de 1935 à 1938.

LA SOIF DE CONNAITRE   79

ayant pour objet l'irrationnel, ne saurait porter ombrage à
l'hégémonie philosophique. C'est en ce sens, renouvelé de
Kant, que Husserl pouvait croire sincèrement servir le christianisme par la phénoménologie. Dans des conversations qu'il
eut avec quelques-uns de ses élèves en 1935, il disait : « On
dit que je suis revenu à Kant. On ne me comprend pas. On
s'est rendu compte que ma phénoménologie est la seule philosophie qui soit apparentée à la scolastique ; beaucoup de
théologiens ont étudié mes *Recherches logiques,* mais malheureusement pas mes œuvres postérieures. On en a conclu que
je m'étais d'abord orienté vers la religion, pour retomber
ensuite dans l'incroyance. Mais dès le commencement j'ai cru
— et aujourd'hui ce n'est plus foi, mais science — que c'est
ma phénoménologie, et *elle seule,* qui est *la* philosophie que
l'Eglise peut utiliser : elle seule converge vers le thomisme,
et elle prolonge le thomisme.

    « Mais pourquoi l'Eglise tient-elle avec tant de ténacité
au thomisme ? Si l'Eglise est vivante, elle doit se développer
dorénavant dans la phénoménologie. La philosophie catholique devra dépasser un jour le néo-thomisme. Ma mission, à
moi, est seulement la science. Par elle je veux servir les deux
confessions chrétiennes. Peut-être ne verra-t-on que plus
tard que ma pensée devait se modifier et que c'est seulement
par cette évolution que je suis resté fidèle à moi-même. »

    Husserl et sa femme étaient passés du judaïsme au protes-
tantisme ; Husserl avait reçu le baptême dans l'Eglise Réformée luthérienne de Vienne, à l'âge de vingt-sept ans. Leurs
enfants étaient élevés dans la religion protestante.

    Avec Edith Stein, les relations n'ont cessé d'être cordiales,
empreintes d'une profonde amitié, d'un grand respect réci-
proque. Edith n'a jamais interrompu sa collaboration aux
travaux des phénoménologues et ses écrits paraissaient régu-
lièrement dans les *Annales de Philosophie et Recherches phénoménologiques* d'Edmond Husserl. Leur divergence sur le
terrain des idées, qui remonte à 1917, puis la conversion
d'Edith, n'ont pas entamé cette amitié. Quand elle revit
Husserl pour la première fois depuis sa conversion, après une
séparation de huit années, Edith pouvait écrire : « Je lui parlai

en toute franchise. Sa femme semblait opposée à ma conversion, mais, à chacune de ses paroles d'incompréhension, il répondit lui-même, en termes si beaux et si profonds, que je n'eus presque rien à ajouter. Pourtant je crois qu'ici il importe de se garder de l'illusion. Certes il est bon d'aborder ces problèmes (de la foi) ; mais la responsabilité de mon interlocuteur s'en trouve augmentée, comme la mienne. Et je ne doute pas que la prière et le sacrifice ne soient d'un plus grand poids que tout ce que nous pourrions nous dire, ni qu'ils ne soient très nécessaires.

« Car il est bien différent d'être simplement en état de grâce, ou d'être un instrument choisi par Dieu. Il ne nous appartient pas de juger en la matière, nous devons nous confier à l'infinie miséricorde de Dieu. Il ne faut pas cependant nous dissimuler la gravité du problème. Après chaque rencontre, tandis que la discussion s'avère impuissante, *la pressante nécessité de l'holocauste personnel s'impose à moi.*

« Que notre présente forme de vie soit plus ou moins bonne, dans le fond nous n'en savons rien. Ce dont nous sommes sûrs c'est d'être ici-bas, maintenant, pour faire notre salut et celui des âmes qui se trouvent attachées à la nôtre. Il n'y a pas de doute quant à cela [4]... »

Nous voici à même de dégager quelques traits caractéristiques de la personnalité d'Edith Stein :

Une intelligence lucide, qui s'emploie à faire la pleine lumière sur les principes de la foi, afin de les vivre jusque dans leurs dernières conséquences. Une charité ardente et délicate, qui — avant de la porter au don total de sa personne à Dieu — lui fait redouter d'augmenter la responsabilité d'une âme en augmentant sa connaissance de Dieu, de crainte que cette âme ne se dérobe ensuite à la lumière reçue. Sa probité intellectuelle, sa soif de vérité, la feront pénétrer toujours plus avant dans le mystère de Dieu. Une fois la vérité reconnue, elle y adhère sans réserve, faisant abstraction de ses vues personnelles. Et elle sera tellement « vraie » dans sa recherche qu'elle y gagnera le privilège de pouvoir adhérer

---

4. Lettre à sœur Aldegonde Jaegerschmid, Septuagésime, 1930.

à la Vérité divine sans que ses conceptions philosophiques antérieures n'entament la simplicité de son don. Les démarches de sa pensée resteront jusqu'au bout méthodiques et rationnelles, mais elles demeureront de simples moyens d'accès. Le jour venu, Edith fera taire son esprit avide de connaître, pour écouter en silence la parole du Seigneur. Alors devant le mystère de Dieu, elle se fera toute accueillante, ouverte et silencieuse, comme une terre vierge dans l'attente de la divine semence.

DEUXIEME PARTIE

LA LUMIERE DE VERITE

Vous connaîtrez la vérité et elle vous rendra libres.

Jean, VIII, 32.

CHAPITRE VI

SPIRE   1923-1931

Cette période de vie laborieuse, à l'ombre du monastère des Dominicaines enseignantes et tout illuminée de la pure joie de découvrir un peu du contenu de la vérité révélée, nous est connue surtout à travers les témoignages des élèves ou des disciples d'Edith Stein.

La Mère Prieure du couvent de Sainte-Madeleine de Spire nous dit combien son arrivée sembla providentielle ; les religieuses venaient de fonder un établissement à Mannheim et la directrice des études fut transférée dans cette ville. Il avait été impossible de la remplacer et de désigner un professeur d'allemand pour les classes supérieures du collège de jeunes filles. Edith Stein reprit ces cours, elle assuma la préparation des élèves aux examens d'Etat et bientôt celle des jeunes religieuses à l'enseignement.

« Elle était pour nous toutes un exemple lumineux, écrit la supérieure ; nous sentons maintenant encore le bienfait de son rayonnement. » Educatrice-née, sa manière d'enseigner était remarquable, allant de pair avec un véritable don de pédagogie. Elle trouvait le moyen d'ajouter des heures de leçons particulières à celles de ses cours et de poursuivre en privé l'étude de saint Thomas.

Très simple, humblement dévouée à sa tâche quotidienne,

elle aurait souhaité passer inaperçue. Mais son extraordinaire capacité intellectuelle et son don d'expliquer les choses les plus ardues lui valaient de nombreuses requêtes de la part des élèves et des maîtresses. Jamais elle ne refusait de rendre service, s'en tenant littéralement à ce conseil que nous trouvons dans sa correspondance : « ... Pour ce qui est de nos relations avec autrui, le besoin des âmes transcende tout règlement de vie. Car nos activités personnelles ne sont que des moyens qui tendent vers une fin, tandis que l'amour du prochain est la fin même, puisque Dieu est Amour [1]. »

Sa bonté était tout à fait remarquable, rapportent les sœurs dominicaines. Dieu seul sait combien de misères physiques et morales elle a soulagées. Sa correspondance très étendue en témoigne. Pas un détail ne lui échappait quand il s'agissait de faire le bien. Les dimanches et jours de fête, lorsque les religieuses étaient appelées au parloir, Edith les déchargeait du soin de la vaisselle. Elle passait des heures, les jours de congé, à distribuer la soupe populaire. Elle s'était procurée la liste des pauvres de la ville et on la voyait, au temps de Noël, disparaître mystérieusement, les bras chargés de colis préparés en secret.

De sa vie intérieure, elle ne nous dit rien. Nous ne savons que ce qui ressort des témoignages portés par son entourage. Celles qui l'ont connue n'ont jamais oublié la qualité et la profondeur du silence qui semblait l'envelopper. Elle restait des heures en prière près du tabernacle de la petite chapelle conventuelle, tout absorbée en Dieu. Sa manière de prier touchait les âmes bien davantage que les plus beaux discours : « Sa seule présence, écrit un jeune professeur, était une invitation à monter... elle nous entraînait à sa suite sans beaucoup de paroles, par le seul rayonnement de son cœur pur, noble et donné... »

Afin de consoler une de ses élèves, assez peu douée, Edith trouvait ces termes délicats :

« ... N'essayez pas de mesurer ce que vous comprenez à la manière dont vous savez le dire. Ce que vous avez compris

---

1. Cité, C, p. 73.

vous pénètre, agissant en vous et rayonnant de vous, même s'il vous est impossible de l'exprimer. Une fois que l'on s'est totalement remise entre les mains de Dieu, il faut lui faire la confiance de penser qu'il saura bien tirer quelque chose de nous. Il lui appartient de juger ce dont nous sommes capables ; pour nous, il est bien inutile de nous perdre en analyses. Croyez-moi, ces gens que vous avez rencontrés et qui vous ont semblé tellement plus proches que vous de l'idéal chrétien, si vous pouviez les connaître de l'intérieur, vous sauriez qu'ils souffrent eux aussi de leur impuissance et de leur pauvreté [2]... »

Une autre élève, interrogée sur ses souvenirs, nous écrit :

« En vérité nous lui devons tout. Nous étions très jeunes encore et cependant nous avons été subjuguées par elle. Son influence nous a marquées de façon inoubliable. En la voyant chaque jour prier devant nous à la messe, nous pressentions le mystère, la splendeur cachée, d'une vie transformée par la foi... Je ne me rappelle pas de paroles d'elle que je puisse citer. Peut-être ma mémoire est-elle en défaut ? Mais je crois avoir retenu d'elle surtout le témoignage de son silence. Elle agissait sur nous moins par ce qu'elle disait, que par ce qu'elle était...

« ... Elle nous prodiguait une tendresse exquise, toute maternelle, cependant personne n'aurait songé à lui désobéir, même en pensée. C'est elle qui nous a découvert la beauté du théâtre de Shakespeare. Elle avait un si grand cœur : ouvert à tout ce qui est beau et noble, mais secrètement réservé à Dieu seul... »

Toutes ses élèves s'accordent à lui reconnaître une égalité d'humeur désarmante, une compréhension profonde des problèmes d'autrui, une manière inimitable d'expliquer les textes les plus obscurs. Quelques-unes, qui n'ont fait que l'entrevoir, sont demeurées frappées de sa dignité naturelle, de son comportement paisible, empreint d'une réserve qui la rendait parfois presque intimidante.

Cette paix profonde dominait un tempérament ardent, très

---

2. Cité, C, p. 74.

absolu, qu'une intelligence exceptionnelle aurait naturellement porté à une certaine intransigeance. C'était bien davantage le calme des profondeurs de l'océan, dont la surface
déferle de vagues, que celui des eaux d'un lac tranquille.
« Elle a beaucoup changé en quelques années, disait une
ancienne élève, elle est devenue toute sereine. » Et elle rappelait qu'un jour Mlle Stein avait brusquement quitté sa
classe, sous le coup de l'indignation, parce que ses élèves
n'avaient pas su trouver la référence d'un texte de la Bible.

Son humilité foncière et joyeuse paraissait naturelle,
c'était comme l'envers d'une intelligence lucide qui se connaît
devant Dieu, et le fruit d'une brûlante charité. Dans ses
conseils aux religieuses elle insistait sur la nécessité de commencer par pratiquer soi-même ce que l'on veut enseigner
aux autres. Elle les invitait aussi à être de leur époque, à ne
pas sous-estimer la difficulté des problèmes de vie posés à une
jeunesse désemparée et blessée par les crises politiques successives. Témoignant d'une immense compréhension envers les
jeunes, elle savait à l'occasion se montrer très ferme. Voici
ce que nous écrit une de ses anciennes élèves :

« Mlle Stein a été notre professeur d'allemand de 1926
à 1929. Dès le premier abord, nous nous sommes senties
devant une personnalité très forte, une éducatrice. Ses cours
étaient d'une telle clarté, qu'il était impossible de ne pas les
saisir ni de n'être pas stimulées au travail. L'heure s'écoulait
près d'elle dans une sorte de recueillement. Je n'ai pas souvenir
qu'en trois ans l'une d'entre nous ait osé interrompre la
leçon par un bruit quelconque. Pourtant elle ne s'est jamais
montrée sévère ni dure envers nous. Sa manière d'enseigner
était toujours intéressante, elle nous parlait avec sérieux et
nous charmait par sa bienveillance.

« ... Dans la correction de nos compositions, elle mettait
l'accent sur la clarté du plan, l'objectivité de la pensée. Les
jeux du style et de l'imagination lui semblaient secondaires.
Elle désirait avant tout que nous fassions un exposé solide.
Il en était de même dans sa formation des caractères. Elle
nous inculquait de grands principes moraux, nous parlant
peu de piété. Je me rappelle encore le titre d'une des premières

compositions qu'elle nous proposa : « L'empire du monde appartient aux courageux. » Par courageux, elle n'entendait pas les conquérants militaires, ni les dominateurs des royaumes terrestres, mais ceux qui, s'étant vaincus eux-mêmes, régnaient sur leur propre moi. Un sujet d'examen s'intitulait : « Un professeur n'est jamais prêt. » Ici elle soulignait plus encore la nécessité de la formation du caractère. Le maître n'est jamais prêt, car il peut et doit toujours élargir le champ de ses connaissances et développer sa personnalité.

« Educatrice, Mlle Stein l'était en tout temps. Elle savait organiser de merveilleuses récréations où ses élèves pouvaient lui parler avec une grande liberté de cœur et d'esprit. Elle nous voulait alors détendues et libres ; nous lui racontions nos soucis et nos expériences, qu'elle écoutait avec patience. Pour moi, elle m'inspirait une sorte de crainte, par sa gravité et le rayonnement de son intelligence. Près d'un si grand esprit tout me paraissait devenir détail insignifiant. Elle ne nous parlait guère de religion. Pourtant nous sentions qu'elle vivait sa foi. En la voyant prier à la chapelle, il nous semblait toucher au mystère de Dieu, présent dans une âme. Elle restait des heures absorbée dans sa prière, sur un prie-Dieu placé près de l'autel, à gauche dans le chœur. Sa vie appartenait toute à Dieu, à l'étude et au soin de ses élèves. Mlle Stein nous reprenait rarement, encore était-ce pour notre bien. Le plus petit indice de déloyauté blessait son sens de la justice et elle n'en laissait passer aucun dans notre travail. »

« Il me semble qu'il y a des siècles que je l'ai connue ! nous dit une autre pensionnaire de Spire. Et pourtant ces longues années d'horreur et de catastrophe n'ont pas réussi à effacer son souvenir. Bien au contraire, son image paraît par contraste rayonner d'une lumière plus vive...

« Nous devinions en elle quelque chose de très rare : la totale harmonie entre l'enseignement et la vie personnelle... Et aux heures de récréation elle devenait notre amie. Je me rappelle encore comment nous nous précipitions dès le signal, chaque fois qu'il s'agissait de monter dans sa chambre passer la veillée... le plus souvent nous nous asseyions par terre autour d'elle, pour ne pas perdre de temps à transporter une dizaine de sièges et nous devisions gaiement en toute simplicité... Sachant son amour de la musique nous avions pris l'habitude de commencer nos réunions par une petite chanson improvisée ; un soir nous avons si bien chanté qu'elle nous donna spontanément cinquante marks pour notre caisse... »

Une jeune institutrice qui doit sa formation au « docteur Stein » écrit :

« Elle avait ma confiance. Pour le moindre service rendu elle manifestait une gratitude débordante... mais elle, à toute heure du jour ou de la soirée, elle se trouvait disponible, prête à nous recevoir et à interrompre ses travaux philosophiques les plus ardus, comme aussi la correction des copies... Elle aimait sincèrement le petit peuple, l'homme de la rue... Lente à juger, elle apportait une patience immense à nous connaître, à dépasser les apparences, attendant parfois des années avant de formuler une observation.

« Elle se gardait de nous imposer une direction de vie, mais elle priait avec nous pour recevoir la lumière afin de nous aider à nous orienter vers notre vocation personnelle... Un jour que je lui demandais conseil pour l'avenir, elle me répondit : « Prions ensemble pour obtenir la réponse de Dieu ; ce qu'il veut de toi il faut lui demander — les yeux dans les yeux — de nous le faire savoir. »

« .. Ses leçons et ses remarques, tout ce qu'elle nous disait nous arrivait enveloppé de bonté et nous était une grâce.

« Et comme elle était vibrante et sensible ! Au moment de nous quitter, à son dernier passage à Spire, nous avons pris notre café, seules toutes les deux. Je lui dis : « Mais, mademoiselle, vous tremblez ? » Elle de me répondre : « Comment ne pas avoir du chagrin, ni trembler, quand je sais que Hitler va se saisir bientôt de mes parents et de moi-même ! »

« Aussi, lorsqu'elle prit congé de nous, avais-je le cœur bien lourd ! »

« Ce n'est pas par hasard, remarque la religieuse dominicaine qui a bien voulu nous confier ces " témoignages ", que vous n'y relèverez guère de citation de paroles d'Edith Stein. Sans doute les vingt années qui se sont écoulées depuis son

départ du monastère ont-elles été traversées de telles atrocités
que pour subsister dans la mémoire il fallait que les événements soient très marquants. Mais, de plus, ses cours étaient
fort objectifs, elle s'en tenait au programme et ce qui nous
reste de plus personnel d'elle, c'est l'exemple d'un comportement si véridique qu'il influence aujourd'hui encore celles
qui l'ont connue. »

Cette même religieuse nous raconte que plusieurs des
jeunes sœurs qui reçurent la formation d'Edith Stein sont
maintenant en Amérique du Sud. L'une d'elles, chargée de
fonder un pensionnat, puis une école normale, dans la vallée
de l'Amazone, (aux sources du fleuve), est revenue à Spire
l'été dernier, après une absence de quatorze années. Elle
assura les religieuses que jamais elle n'aurait pu tenir à travers les difficultés de l'entreprise et une extrême solitude,
sans le soutien des leçons et des exemples d'Edith Stein.

Plusieurs Dominicaines enseignantes, fondatrices au Pérou,
et qui furent également les disciples du « docteur Stein »,
portent un témoignage analogue.

Il semble bien que son enseignement ait épanoui les intelligences et profondément marqué les cœurs.

La religieuse qui évoque pour nous ces souvenirs ajoute
ce simple commentaire : « Lorsqu'elle prit congé de nos
élèves, à Pâques, en 1931, elle nous dit qu'elle considérait
cette période passée près de nous comme un temps de préparation. Elle sentait que de nouvelles tâches l'attendaient
et elle allait s'y donner sans réserve. »

Elle faisait si bien partie de la maison que, lorsque monseigneur Pacelli, légat du Saint-Père, vint présider les fêtes
jubilaires du monastère de Spire, qui célébrait son sept-
centième anniversaire, en octobre 1928, elle fut choisie pour
le recevoir au nom des professeurs.

On peut donc souscrire sans danger d'exagération au mot
d'un père jésuite, qui a connu Edith Stein durant son séjour
à Spire et lui confia de nombreux travaux intellectuels :

« Elle avait une influence marquée sur les sœurs, comparable à celle d'une maîtresse des novices, et elle sut déceler
puis développer des personnalités, qui sont encore maintenant

des forces vives dans le monastère. Lorsque le couvent de Sainte-Madeleine — le plus ancien du diocèse de Spire — fêta son jubilé, Edith ne paraissait pas une auxiliaire étrangère, mais une Dominicaine parmi les Dominicaines. Ce qui ne l'empêchait pas de porter au plus profond de son cœur la vocation du Carmel [3] ! »

Quelques pages, composées à cette époque pour les fêtes jubilaires de sainte Elisabeth de Hongrie, nous ont paru livrer un peu de la pensée intime d'Edith Stein. Ce texte, donné sous forme de conférence devant un vaste auditoire catholique, à Heidelberg, le 22 novembre 1931, figure parmi les essais pédagogiques d'Edith Stein, sous le titre : *Pour vivre sa vie selon l'esprit de sainte Elisabeth.*

FRAGMENT D'UN TEXTE
SUR SAINTE ELISABETH DE HONGRIE
PAR EDITH STEIN

...Sa vie débute comme un merveilleux conte de fées. C'est l'histoire d'une petite fille de roi, née au château de Presbourg en Hongrie, tandis qu'à la même heure le mage d'Eisenach, Klingsor, lisant son destin dans les étoiles, en découvre la signification pour le pays de Thuringe.

Et c'est l'épisode, digne des *Mille et Une Nuits,* où la reine Gertrude — sa mère — tire de ses trésors les plus précieux joyaux afin de parer la princesse de quatre ans, que vient chercher un ambassadeur du Landgrave de Thuringe. Elle est destinée à devenir l'épouse de son fils Louis.

Les deux enfants sont élevés ensemble dans cette hautaine Wartburg. Ils s'aiment et rien ne pourra les séparer, lorsque, par la suite, les courtisans iront se détachant de l'étrange princesse, qui préfère la compagnie des pauvres déguenillés à celle des grands de la cour...

---

3. R. P. Erich Przywara, dans la *Besinnung,* n° 4/5, nov. 1952, Nuremberg.

Puis vient le roman de chevalerie : l'accès du jeune Landgrave au pouvoir, le mariage princier célébré avec éclat, le bonheur du jeune couple, Elisabeth régnant aux côtés de Louis. Ce sont les chasses et déplacements fastueux à travers le pays, les fêtes somptueuses, mais aussi les soucis de la charge. Le soin des malades et le soulagement des pauvres, la lutte contre la famine et les épidémies, les difficultés naissantes avec un entourage qui tolère mal une attitude de charité inusitée.

C'est enfin le départ du croisé, les adieux passionnés et déchirants, la douleur de l'absence, et l'effondrement impuissant de la toute jeune veuve brutalement frappée par l'annonce de la mort de Louis...

Alors, mais alors seulement, commence l'imprévisible : la veuve prostrée se redresse pour devenir *mulier fortis,* la femme forte qui va prendre en main sa destinée...

Pauvre de tout, elle se fiance au Sauveur qui se donna tout aux siens ; les mains étendues sur l'autel nu des Franciscains de Marbourg, elle y prononce ses vœux et reçoit l'Habit de l'Ordre le vendredi saint de l'an 1229.

La voici devenue la sœur des pauvres, les servant dans l'hôpital qu'elle leur fit construire de ses biens.

Mais pas pour très longtemps, car ses forces vont l'abandonner, et deux années plus tard, âgée de vingt-quatre ans, elle est appelée à entrer dans la joie de son Dieu.

Une vie si riche d'événements pittoresques ou captivants suffit à elle seule à occuper l'imagination et suscite l'admiration et la surprise. Mais nous voudrions essayer de dépasser les faits extérieurs pour pénétrer au plus profond. Nous chercherons à percevoir le battement du cœur qui porta un tel destin et conçut de semblables actions. Nous tenterons de recevoir un peu de l'esprit qui régnait sur ce cœur. Tous les récits qui sont conservés de la vie d'Elisabeth : les paroles, comme les gestes qui sont rapportés d'elle, témoignent d'une même chose. Elle possédait un cœur brûlant, un cœur qui, par son amour fidèle, tendre et délicat, ravissait tous les cœurs. Un cœur qui débordait d'amour.

C'est ainsi qu'elle mit sa petite main d'enfant, pour ne jamais plus la reprendre, dans la main de celui dont les jeux de la puissance et de la politique faisaient le compagnon de sa vie.

C'est ainsi qu'elle partagea son existence sans réserve avec les premières compagnes de sa jeunesse ; jusqu'à ce que la sévérité d'un directeur rigide vienne trancher au vif ce dernier lien des affections terrestres.

C'est ainsi qu'au sortir de l'enfance elle portait en son sein, avec si grand amour, ses propres enfants. Quand elle dut s'en séparer, ce fut par tendresse maternelle qu'elle les remit en d'autres mains que les siennes, afin qu'ils n'aient point part à un destin devenu trop dur. Ce fut aussi pour répondre aux exigences d'un amour plus élevé, qui lui commandait de quitter tout pour suivre l'appel divin.

Dès l'âge le plus tendre, nous voyons ce cœur déborder de miséricorde, s'ouvrir à toute détresse, compatir à toute peine. Elle se sent pressée de nourrir les affamés, de soigner les malades, mais jamais les services rendus ne rassasient sa soif de donner. Il ne lui suffit pas de secourir la misère physique, elle voudrait encore pouvoir réchauffer à son cœur ardent les cœurs refroidis. Les enfants pauvres de son hôpital viennent en courant se jeter dans ses bras, car ils se sentent accueillis par la tendresse d'une mère. Le fleuve de charité, qui rejaillit de toute sa personne, lui vient d'une source intarissable. Celle de l'amour de son Seigneur. Cet amour-là ne lui a jamais manqué. Aussi loin que portent ses souvenirs elle se rappelle l'avoir connu.

Lorsque ses parents l'ont laissée partir vers un pays étranger et lointain, Il est venu avec elle. Depuis qu'elle sait qu'Il habite la chapelle du château, une force irrésistible lui fait quitter ses jeux d'enfant afin d'aller l'y retrouver. Elle se sent à l'aise en sa compagnie. Lorsque les hommes la raillent ou la blâment, elle se sent comprise et consolée.

Personne n'est si fidèle que Lui.

C'est pourquoi elle aussi a voulu Lui rester fidèle et l'aimer par-dessus tout...

L'amour du Christ a rempli et marqué cette vie. Il y a allumé l'insatiable flamme de la charité fraternelle.

Une autre caractéristique d'Elisabeth lui vient de la même source vive : une joie ravissante, qui séduit tous les cœurs.

Elle aime les jeux échevelés de son enfance sauvage. Elle y prend son plaisir malgré l'étiquette et les convenances. Tout ce qui est beau la réjouit. Elle sait se parer à ravir et organiser, comme il convient à son état, des fêtes éblouissantes, charmant les invités de son époux.

Elle aime plus que tout à porter la joie dans la chaumière des pauvres. Elle s'y rend les bras pleins de jouets pour les petits enfants, puis elle joue avec eux...

Un jour qu'elle partageait ses biens entre les pauvres, à Marbourg, survint un incident, qui fit tressaillir son cœur profond. C'était comme une réponse du Seigneur.

Du matin jusqu'au soir elle avait parcouru les rangs serrés des misérables, leur remettant à chacun une part de son héritage. La nuit la surprit, ainsi que bien des pauvres, qui se sentaient trop faibles pour reprendre leur chemin.

Elisabeth leur fit allumer un grand feu, et bientôt les chants qui s'élevèrent du camp improvisé témoignèrent du bien-être et de la joie des malheureux.

La princesse attentive écoutait monter ce chant surprenant, comme la confirmation de ce qu'elle savait depuis toujours. Se tournant vers sa suite elle la prit à témoin : « Je vous l'avais bien dit, il faut rendre les pauvres heureux... »

Elle était convaincue de longue date que Dieu nous a créés pour le bonheur et qu'il fallait lever vers le ciel un visage radieux. Cela aussi lui fut confirmé, quand au moment de sa mort, le chant suave d'un petit oiseau vint l'appeler à l'éternelle béatitude.

Ces flots jaillissants d'amour et de joie se mêlaient en elle aux eaux vives d'un naturel très libre et spontané, que nulle barrière conventionnelle ne parvint jamais à endiguer.

S'agissait-il vraiment d'avancer à pas comptés, en murmurant gracieusement des phrases toutes faites, quand le signal résonnant aux portes de la ville annonçait le retour du prince ? Elisabeth oubliait infailliblement toutes les règles du protocole lorsque, son cœur commençant à battre violemment, elle en suivait le rythme passionné.

Ou bien fallait-il, à l'église, chercher par quelle formule bien-séante, quelle attitude convenue, il était d'usage d'exprimer une pieuse méditation ?

Elle ne pouvait faire autrement que suivre les inspirations de l'Amour divin, même si de sévères remontrances devaient en résulter. Jamais elle ne put comprendre qu'il était déplacé de porter elle-même ses dons aux pauvres, ni d'aller dans leurs chaumières, ni de les soigner dans ses appartements privés. Elle ne souhaitait sûrement pas vivre en désaccord avec son entourage, ni se montrer désobéissante ou têtue. Mais aucune voix humaine ne parvenait à faire taire l'appel suppliant qui montait en son cœur.

Le jour vint où il lui fut impossible de demeurer plus longtemps dans ce milieu conventionnel, propre à des courtisans enracinés dans leurs préjugés et leurs mesquines habitudes. Après la mort de son mari, elle dut quitter les lieux de sa jeunesse pour suivre son propre chemin. Ce fut une douloureuse rupture, qu'elle ressentit profondément. Mais, toute brûlante d'un amour qui la portait avec véhémence vers ses frères souffrants, sans distinction de rang ni de catégorie, elle sut trouver la voie que beaucoup cherchent à frayer de nos jours : l'accès au cœur des misérables...

Tous les siècles ont été marqués, semble-t-il, par une aspiration foncière de l'homme, qui s'exprime plus ou moins clairement selon l'époque, sans jamais s'apaiser. Un de ceux qui l'ont ressentie le plus intensément a dépeint en des pages passionnées ce « retour à la nature » (J.-J. Rousseau). Et l'un de nos contemporains, qui poursuivit en vain ce rêve illusoire, jusqu'à tomber d'épuisement, a décrit l'aventure déchirante de l'homme, mû par ses seules passions, en dehors du contrôle de la raison et de la volonté. Il la compare au jeu fragile des marionnettes (Henri von Kleist — le Théâtre des marionnettes).

La vie de sainte Elisabeth serait-elle conforme à un tel idéal ? Ce que nous avons raconté de sa manière d'être, toute vibrante et spontanée, pourrait inciter à le croire. Mais son histoire rapporte d'autres actions encore, qui sont le fruit d'une volonté bien trempée et le prix d'une lutte farouche contre la nature.

Notre jeune sainte, pleine de charme, de fraîcheur et de gaieté, a su joindre l'ascétisme sévère à une exubérante bonté. Elle a très vite reconnu le danger de se laisser entraîner sans réserve par un cœur vibrant. Sa mère, emportée par le fleuve des passions terrestres, avide de puissance et de gloire, a fini par devenir l'objet de la haine du peuple hongrois, et par mourir assassinée. Les amours déréglées de sa tante, Agnès de Méran, et du roi de France ont fait jeter bientôt l'interdit sur le royaume.

Elisabeth elle-même se sent-elle libre de toute passion obscure et dévastatrice ? Non, elle sait bien qu'elle ne doit pas se livrer sans contrôle aux seuls attraits du cœur.

Lorsque l'enfant invente ces jeux qui lui permettent de sautiller jusqu'à la chapelle, ou de se jeter à terre pour y réciter secrètement des prières, elle suit fidèlement l'attrait d'une grâce divine. Mais peut-être obéit-elle aussi au pressentiment qu'il est dangereux de se laisser prendre aux jeux, et qu'on peut s'y perdre, en perdant la présence de son Dieu. C'est ce qui apparaît clairement

lorsque la jeune fille revient, le visage grave, après avoir dansé pour
la première fois : « Une danse, dit-elle, suffit aux yeux du monde,
et je renonce à toutes les autres pour l'amour de Dieu. » Plus
tard si la jeune femme se lève la nuit pour prier, ou quitte la chambre conjugale pour se faire donner la discipline par ses servantes,
elle ne semble pas animée du seul esprit de pénitence, ni mue par
l'unique désir de souffrir librement pour le Christ. Il semble bien
qu'elle veuille aussi se garder du péril d'oublier le Seigneur, près
d'un jeune époux tendrement aimé.

Dans les toutes dernières années de son existence, Elisabeth
demandait encore ces trois choses à Dieu : le mépris des biens du
monde, l'amour joyeux des opprobres, et le détachement de la tendresse excessive qu'elle portait à ses enfants. Elle affirmait à ses
suivantes que sa prière avait été exaucée. Mais cette seule prière
nous est le signe des combats, incessants et jusque-là infructueux,
qu'elle menait contre une nature ardente.

Si nous voulons tracer un portrait véridique de la sainte, il
faut conserver à sa physionomie ces aspects contrastés : un tempérament fougueux, prêt à suivre spontanément les mouvements
d'un cœur brûlant, sans tolérer le frein d'une pensée réfléchie ou
d'un conseil extérieur ; et une volonté inflexible, inlassablement
appliquée à contrôler les mouvements de nature et à les conformer
à un idéal lucidement poursuivi.

Je crois que nous devons nous placer à un point de vue d'où
ces contrastes nous sembleront non seulement compréhensibles, mais
encore harmonieux ; où cette aspiration profonde à être soi-même
pourra s'épanouir en vérité.

La croyance au développement incontrôlé d'une nature bonne
en soi, repose sur la conviction qu'il existe une puissance intérieure
à l'homme, qui, si elle n'était pas entravée par les pressions extérieures, le conduirait à se développer en parfaite harmonie. Malheureusement cette conviction idéale n'est pas confirmée par l'expérience.
Le cœur de l'homme recèle, il est vrai, un potentiel caché, un germe
de vie, mais celui-ci risque d'être étouffé dans sa croissance par les
épines et les herbes folles.

Qui veut suivre l'impulsion de sa nature, se laissant mener ici
ou là, au seul rythme de ses passions, ne réussira jamais à développer une personnalité profonde.

Le naturel n'est ni dans l'absence de forme ni dans la diffor-
mité. Par ailleurs, celui qui impose à sa nature un joug trop rigou-

reux, essayant de la conformer par force à un idéal resté extérieur,
peut aboutir parfois à libérer une partie de lui-même, mais peut
aussi se faire violence au point d'acquérir une personnalité dénaturée
et factice. Ce sera toujours aux dépens de la vraie liberté. Car
notre intelligence des choses reste partielle et limitée ; le vouloir
et le faire laissés à eux-mêmes n'aboutiront jamais à créer une personnalité accomplie. Ce n'est pas en leur pouvoir, et ces facultés
céderont sous l'effort et se désagrégeront, avant d'avoir atteint leur
but. Aussi les puissances virtuelles, que nous portons en nous et qui
sont comme liées, vont-elles se tourner vers une lumière qui les
conduise sûrement, vers une force qui les délivre et leur permette de
s'épanouir. Ce sont la lumière et la force de la grâce divine.

Certes l'attrait de la grâce qui soulevait l'âme de la petite Elisabeth était bien puissant. L'enfant s'enflamma toute et cette vive
flamme d'amour qui embrasait son cœur en consuma les limites. Elle
se remit alors entre les mains du Créateur divin. Sa volonté humaine
devint l'instrument docile de la volonté de Dieu.

Ainsi guidée, Elisabeth apprit à dominer la nature. Elle se
conforma simplement au dessein de Dieu sur elle, taillant et éla-
guant, pour laisser à son cœur la liberté de grandir selon l'appel
reçu, sans briser pour autant ses dons naturels, ni forcer leur croissance. Elle atteignit enfin l'accomplissement plénier, la maturité
parfaite, que la puissance de la grâce confère à une nature purifiée.

Une fois parvenu au sommet de la montagne, on peut sans
danger suivre les mouvements du cœur. Car le cœur de l'homme
est alors perdu dans le Cœur divin, il bat au même rythme et suit
les mêmes impulsions. C'est ici que le mot audacieux de saint
Augustin prend toute sa force et devient norme de vie : *Ama et fac
quod vis.* Aime et fais ce que tu veux [4].

---

4. *Sainte Elisabeth,* par Edith Stein, in *Frauenbildung und Frauenberufe* (Vocation et formation de la femme), pp. 106 et suiv. *Schnell und
Steiner,* Munich, 3ᵉ édition, 1953.

CHAPITRE VII

BEURON : PRIERE DE L'EGLISE

Les années paisibles et cachées de Spire touchaient à leur fin. La moisson de grâce levait dans l'âme d'Edith, portant un double fruit. Son attrait pour la prière silencieuse allait augmentant, elle consacrait des heures de nuit et de jour à l'oraison. Et d'autre part le désir de l'apostolat brûlait son cœur ardent prêt à recevoir une impulsion vigoureuse de la direction du Père Abbé Walzer. La jeune intellectuelle allait bientôt connaître la célébrité comme conférencière et prendre une place éminente dans l'enseignement catholique allemand. Le chanoine Schwind était mort en septembre 1927. Ce fut durant la semaine sainte de l'année 1928 qu'Edith se rendant avec des amis à Beuron y rencontra le Père Abbé, dom Raphaël Walzer, et lui confia bientôt la direction de son âme.

L'abbaye de Beuron, située sur les bords du Danube, près de Sigmaringen, devint entre les deux guerres un centre de prière et d'apostolat dont le rayonnement dépassait largement les frontières de l'Allemagne. Ce fut l'un des foyers du renouveau liturgique, un carrefour d'intellectuels de toute sorte, en quête de vérité. C'était aussi un « haut lieu » de l'Allemagne catholique, témoin d'innombrables conversions. Lorsqu'en plusieurs régions d'Allemagne un engouement exagéré pour l'assistance passive aux célébrations liturgiques

conduisit clercs et laïcs à frôler l'erreur d'une sorte de
« quiétisme social » (cf. l'Encyclique *Mediator Dei*), l'Abbé
de Beuron dénonça le péril avec lucidité. Sur le plan temporel, le danger du national-socialisme ne lui échappait pas. En
1933, il s'était abstenu de participer au plébiscite en faveur de
Hitler et, dès avant cette date, il n'avait cessé, par des conversations privées, de mettre en garde ses interlocuteurs contre
les rêves sanglants d'hégémonie du Troisième Reich. En 1935,
après une campagne de presse diffamatoire dirigée contre son
abbaye et sa personne, dom Raphaël Walzer eut le choix
entre se soumettre à Hitler ou se démettre de sa charge.
C'est alors qu'il quitta l'Allemagne. Durant les années 1942-
1945, il devint l'aumônier des prisonniers italo-allemands en
Afrique du Nord et fondateur d'un séminaire de prisonniers
de guerre (prêtres et religieux) à Rivet, près d'Alger. Natura-
lisé Français en 1944, il a dirigé par la suite une humble
fondation bénédictine, vivant dans une grande pauvreté, mais
aussi dans la liberté joyeuse des enfants de Dieu, à Tlemcen.

Durant cinq années, cruciales pour l'évolution de l'Allemagne et la paix du monde, de 1928 à 1933, Edith Stein fit
à Beuron des séjours prolongés. Une ancienne élève de Spire
nous écrit : « Elle éveilla en nos cœurs un vif attrait vers
Beuron. A l'époque où la demeure maternelle lui était
fermée : Beuron devint sa vraie maison. » Sans doute est-ce
à l'impulsion de dom Walzer que nous devons en partie
l'activité prodigieuse de la jeune conférencière et la publication de ses nombreux écrits. Il est permis de penser que les
dons remarquables de sa dirigée, l'influence profonde qu'elle
prit sur les milieux intellectuels catholiques, déterminèrent
l'Abbé de Beuron, lui aussi engagé à la pointe du combat
pour la liberté de l'esprit, à retenir le plus longtemps possible
Edith Stein dans le monde. Car celle-ci ne semble jamais
avoir cessé de penser au cloître. Le désir d'une vie cachée,
toute donnée à la contemplation, continuait depuis le jour
de son baptême à brûler silencieusement son cœur.

A Beuron où elle se rendait, nous dit-elle, pour « laisser
respirer son âme », Edith fuyait l'affluence des pèlerins comme
aussi les cercles de discussion. Elle passait de longues heures

en prière, dans une chapelle latérale peu fréquentée de l'église abbatiale. Un prêtre qui la surprit dans cette retraite la vit comme abîmée dans une silencieuse oraison :

« Il me sembla, écrit-il, assister à la prière de l'Eglise primitive, celle que les orantes figurent pour nous aux murs des catacombes. Edith me parut la vivante incarnation de cette prière que l'Eglise, debout et cependant déjà soulevée de terre, adresse à Dieu. Elle paraissait perdue dans son union au Christ et sans doute répétait-elle avec le Seigneur la fervente supplication qu'il adressait au Père : « Je me sanctifie moi-même pour eux, afin qu'ils soient, eux aussi, sanctifiés dans la Vérité. » (Jean, xvii 19) [1].

Une amie qui suivait avec elle les offices de la semaine sainte à Beuron nous raconte que le vendredi saint Edith passait la journée entière, de quatre heures du matin à la nuit tombée, dans l'église abbatiale, sans prendre aucune nourriture. Si l'on s'étonnait de ce jeûne rigoureux, lui demandant comment elle le supportait, Edith répondait en souriant : « Ma vieille mère, qui est âgée de quatre-vingt-quatre ans observe encore des jeûnes de vingt-quatre heures. Et comment ne pas le supporter, au jour de la mort de Notre Seigneur. » Une autre jeune fille la voyait prier longuement devant l'image de la Vierge des douleurs. « Je ne la comprenais pas, avoue-t-elle, car je trouvais cette image d'assez mauvais goût et je m'étonnais de la dévotion d'Edith. Ce n'est que bien plus tard, quand j'ai appris sa mort, que j'ai pensé que dès ce moment la Vierge de Compassion instruisait son enfant des douleurs qu'elle aurait, elle aussi, à porter... »

Quant au Père Abbé Walzer, il reconnut dès les premières ouvertures la valeur profonde d'une telle personnalité. Il lui rendit ce beau témoignage :

« J'ai rarement rencontré une âme douée de qualités plus hautes et diverses. Avec cela, la simplicité même. D'une capacité intellectuelle très virile, elle était demeurée extrêmement féminine en son comportement. Elle possédait une vive sensibilité, une délicatesse de cœur toute maternelle, sans chercher

---

1. Cité, C, p. 87.

pour autant à satisfaire cette tendresse, ni à l'imposer. Elle reçut des grâces mystiques authentiques, mais son attitude n'avait rien d'exalté. Elle était humble auprès des simples, sage avec les savants, mais sans ombre de pédanterie, et je serais tenté de dire que près des pécheurs, elle se faisait pécheresse [2]... »

Dans un récent entretien, dom Walzer ajouta ces quelques mots, comme se parlant à lui-même :

« Nous étions l'un et l'autre de fervents partisans d'une piété sans problème. Elle était exceptionnellement simple, une âme toute limpide et transparente, très souple à suivre les motions de la grâce, sans l'ombre de scrupule. Dans un cas comme le sien, les mots risquent de trahir leur sujet plutôt que de l'expliquer. Elle aurait été la première à sourire des pieuses exagérations de ses admirateurs. Elle passait des heures en oraison, comme absorbée en Dieu, mais elle éprouvait rarement le besoin de revenir sur les grâces reçues ni d'en parler, même à son directeur.

« De sa mère, elle tenait la force de caractère et l'énergie ; formée très jeune aux observances judaïques, elle se plia sans peine à l'ascèse chrétienne. C'était naturel chez elle, il n'était pas question d'accomplir une performance exceptionnelle.

« Elle était tout intériorisée, longtemps avant son entrée au Carmel, toute concentrée en Dieu. Rien ne trahissait au-dehors les profondeurs de sa vie spirituelle, sinon le parfait équilibre entre les dons du cœur et ceux de l'intelligence, la gravité devant les problèmes de son temps, la vraie compassion. Mais ce qui dominait : c'était son calme, sa paix. Elle était passée de l'autre côté des choses. Je lui appliquerai volontiers l'expression par laquelle le bréviaire monastique souligne la paix d'une âme sanctifiée. Oui, elle était aussi calme, *fuit et quietus.* »

En un bref essai, rédigé peu après son entrée au Carmel et publié par l'académie Bonifatius, à Paderborn, en 1936,

---

2. Cité, C, p. 85.

Edith nous a laissé une analyse claire et pénétrante de ce qu'elle entendait par prière de l'Eglise.

Ce faisant, elle prenait position avec lucidité dans le débat soulevé par les partisans excessifs du renouveau liturgique. Nous l'avons dit, Beuron se trouvait être l'un des foyers d'un mouvement qui avait eu pour but initial de faire redécouvrir aux chrétiens les grandes sources de la prière, trop souvent ignorées des modernes dont la piété affadie se nourrissait de dévotions particulières. L'excellent missel commenté par dom Schott, moine de Beuron, avait eu dans les milieux catholiques allemands une influence comparable à celle des ouvrages de dom Guéranger en France. Les chrétiens avaient retrouvé le sens profond du sacrifice de la messe. Ils venaient y assister en « croyants », pour y prendre part, et non plus pour réciter des prières multiples ou égrener leur rosaire de façon distraite. Mais ce bon départ avait été suivi d'exagérations portant les adeptes de la prière dite *liturgique et objective* à mépriser la prière silencieuse et secrète qu'ils traitaient de *dévotion subjective*. Leur enthousiasme partial risquait de dégénérer en erreur. Les uns n'attribuaient-ils pas une sorte de valeur sacramentelle à l'assistance purement passive aux cérémonies du culte, capable de transformer le fidèle comme à son insu, et sans aucune initiative personnelle de sa part ? Les autres, dans leur zèle passionné, opposaient entre elles deux formes authentiques et valables de prière.

C'est à cette tendance erronée que répondait en partie l'essai d'Edith Stein, traitant de la prière de l'Eglise. Quelques passages de ce texte nous permettront de mesurer la netteté de sa position personnelle et de pressentir les profondeurs de sa vie intérieure :

... C'est dans le secret et le silence que se consomme l'œuvre de la Rédemption. Les pierres vivantes qui servent à édifier le royaume de Dieu, les instruments qu'il se choisit, sont formés et polis dans un silencieux dialogue entre les âmes et Lui. Car le torrent de grâces mystiques qui court à travers les siècles constitue la partie principale et profonde du fleuve de prière de l'Eglise, il n'en est pas un bras dévié. S'il arrive que ses eaux fassent céder au passage des usages bien établis, c'est qu'elles sont animées par l'Esprit qui souffle où il veut, et, qui, ayant créé toutes formes, se réserve de les renouveler toujours. Sans cet Esprit, il n'existerait ni liturgie ni Eglise.

L'âme de David, ce chantre royal, vibrait comme une harpe sous la touche délicate du Saint-Esprit. Du cœur comblé de la Vierge pleine de grâce jaillit le *Magnificat*. Le cantique du *Benedictus* ouvre les lèvres devenues muettes du vieillard Zacharie, lorsque la parole secrète de l'ange devient une réalité visible. Ce qui monte de ces cœurs, que remplit l'Esprit-Saint, s'exprime en une parole, une action, se transmet de bouche en bouche. Il incombera à l'office divin de permettre au message de passer de génération en génération.

Ces voix multiples vont se fondre et se perdre comme entraînées dans l'immense courant du fleuve mystique, dont le grondement sonore monte, tel un cantique de louange, vers la Trinité Sainte, Dieu, Créateur, Rédempteur et Vivificateur.

C'est pourquoi il serait faux d'isoler ou d'opposer deux formes de prière : la prière personnelle, dite subjective, et la prière sociale, liturgique, dite objective.

Toute prière vraie est une prière de l'Eglise, chaque prière opère en elle et c'est chaque fois l'Eglise qui prie, puisque c'est l'Esprit-Saint, vivant en elle, qui s'exprime par chacune des âmes en prière en des « gémissements inénarrables » (*Rom.*, VIII, 26). C'est cela la vraie prière, puisque personne ne peut prier ni dire « Seigneur Jésus » sans l'inspiration du Saint-Esprit (I. *Cor.*, XII, 3).

Que serait donc la prière de l'Eglise, sinon ce don de l'Esprit d'amour à Dieu, qui est Amour ?

La remise totale et aimante de l'âme à Dieu, le don que Dieu lui fait en retour, l'union consommée et durable entre l'âme et Dieu, tels sont les suprêmes mouvements du cœur, les plus hauts degrés de la prière. Les âmes qui y parviennent sont véritablement *le cœur de l'Eglise*. En elles, vit l'amour sacerdotal de Jésus. Cachées avec le Christ en Dieu, elles ne peuvent faire autrement que diffuser l'amour divin, embrassant les autres cœurs et participant ainsi à cette transformation de tous en l'Unité divine qui était et qui demeure l'ardent désir de Jésus [3]...

---

3. *Das Gebet der Kirche* (La prière de l'Eglise), par Edith Stein, Collection *Ich lebe und Ihr lebt*, Paderborn, 1936.

CHAPITRE VIII

AU SERVICE DE LA VERITE :
LES ŒUVRES

Nous n'avons pas l'intention dans cet ouvrage succinct d'analyser l'œuvre philosophique et spirituelle que nous a laissée Edith Stein, et dont la plus grande part fut publiée à titre posthume. Il est impossible toutefois de la passer sous silence. Nous avons interrogé ses contemporains et ses amis. Leurs témoignages sont émouvants. Ils permettent de deviner un peu du rayonnement d'Edith Stein et sont comme un reflet de sa pensée.

Dans son introduction au portrait d'Elisabeth de Hongrie, composé pour les fêtes du sept centième anniversaire de la sainte, Edith Stein relève le goût singulier de son époque pour les commémorations historiques et les jubilés. Sans doute est-ce la détresse des temps et la soif des biens spirituels qui portent ses contemporains à se tourner vers un passé apparemment meilleur que le présent. Mais pour que cette attitude soit profitable, il leur faudrait, dit-elle, essayer de remonter aux sources, afin de découvrir l'esprit qui animait de telles vies humaines. Car l'esprit est vivant et ne meurt pas. Si son action s'est réellement manifestée pour modeler telle ou telle existence, il laisse subsister plus qu'un souvenir ou qu'une image du passé. Il reste comme une mystérieuse présence cachée, une braise soigneusement enfouie, d'où jaillit la flamme au moindre souffle vivant.

Si nous nous approchions des grandes figures disparues avec une âme de désir, un peu du feu qui consuma leur vie passerait bientôt dans la nôtre, conclut Edith Stein.

C'est dans cet esprit qu'il faut ici aborder son œuvre.

Jusqu'à sa conversion, la plupart des travaux d'Edith Stein ont paru dans les *Annales de philosophie et de recherches phénoménologiques,* publiées sous la direction d'Edmond Husserl. Nous avons exposé ci-dessus [1] les grandes lignes de son étude consacrée à *la Phénoménologie de Husserl et la philosophie de saint Thomas d'Aquin,* qui fut tirée à part et marque une étape dans l'évolution de sa pensée.

Après son baptême, et sans cesser de coopérer aux recherches du cercle de Göttingen, elle prêta son concours à un petit groupe d'intellectuels catholiques, formé autour de Dietrich von Hildebrand, alors récemment converti, de dom Daniel Feuling, moine de Beuron, et du père Eric Przywara, Jésuite. Ce dernier, auquel les écrits de la jeune philosophe n'étaient pas inconnus, s'intéressa vivement à sa conversion. Il était déjà en rapports épistolaires avec elle lorsque la pensée leur vint, à Hildebrand et à lui, de confier à Edith Stein le travail délicat de la traduction d'un recueil d'œuvres de Newman (1928). Edith s'en acquitta à merveille, respectant jusqu'aux moindres nuances de la pensée de Newman, comme aussi le rythme particulier de son style. Le père Francis Bacchus, l'un des rares amis survivants du cardinal anglais, fit une préface charmante à l'édition des lettres, enrichissant la collection de quelques inédits. Ce fut l'origine d'une longue période de collaboration entre Edith et ce nouveau groupe d'amis. A la demande du père Przywara elle devait rédiger la première traduction complète en langue allemande des *Quaestiones de Veritate,* de saint Thomas. Cette traduction parut en deux volumes chez Borgmeyer à Breslau, durant les années 1931-1932. Elle suscita l'admiration par la sobre perfection d'une langue limpide, et la qualité des commentaires qui venaient éclairer ce grand texte encore inconnu de la majorité des Allemands.

---

1. Voir plus haut, Ch. V.

« C'est une merveille, écrit le père Przywara dans *Stim-men der Zeit (Voix du temps)*, que de trouver une traduction qui transpose sans l'altérer la sobre clarté du latin de l'Aquinate en langue allemande... Par ailleurs l'art de la traductrice est tel, ses notes marginales sont si riches de sens, que l'esprit se sent à l'aise devant cet ouvrage comme s'il avait été composé pour nos intelligences modernes. On n'y trouve que saint Thomas et encore saint Thomas, car jamais le vocabulaire de la phénoménologie (en laquelle la traductrice est passée maître) n'empiète sur le langage du saint. Cependant il semble que Husserl, Scheler et Heidegger soient ici présents, et appelés à confronter leur doctrine avec celle d'un Thomas d'Aquin qui serait descendu dans l'arène de la philosophie contemporaine, et les portes s'ouvrent sans effort entre les deux mondes [2]. »

Dans un article publié pour le dixième anniversaire de la mort d'Edith Stein, le père Przywara évoque sa rencontre avec elle et leurs travaux communs :

« Elle possédait, écrit-il, un double esprit : une compréhension illimitée des êtres et des choses, une réceptivité toute féminine ; mais aussi une intelligence objective et virile. Dans la discussion il n'était pas rare que ce second aspect de sa personnalité ne l'emportât, l'on assistait alors à de véritables passes d'armes entre elle et son interlocuteur, rien ne trahissant plus l'extrême délicatesse de sa sensibilité. Son style était clair, harmonieux, comme l'apparence de sa personne. Elle éprouvait une joie immense à découvrir l'univers admirable de la pensée de saint Thomas. Elle aimait la langue pure du saint du même amour qu'elle portait à la musique de Bach, au chant grégorien, aux « lieder » de Reger et aux dessins de Rembrandt, dont elle emportait toujours avec elle une esquisse [3]. »

Interrogé sur Edith Stein, Alexandre Koyré ne cache pas son émotion : « C'était, dit-il, un être exceptionnel, il y en a peu comme elle dans le monde présent ! »

2. *Stimmen der Zeit*, 1931 (61e année, pp. 385-386).
3. Article de E. Przywara, paru dans *Die Besinnung*, 1952, cahier 4/5, pp. 239 et suivantes, Ed. Glock und Lutz, Nuremberg.

En quelques mots il évoque leur expérience commune à Göttingen, leur soif de vérité objective. Il dit comment l'influence de Husserl les a menés vers l'étude de la pensée médiévale, animés du désir de retrouver les sources de la philosophie scolastique. « Pour Edith, ajoute-t-il, je crois bien que la lecture de saint Thomas et le désir de pénétrer l'expérience mystique du saint ont agi sur elle profondément, orientant sa recherche de Dieu. Son livre principal, *Etre fini et Etre éternel,* est très beau. Il représente à mes yeux sa « biographie spirituelle ». Il résulte des efforts de toute une vie consacrée à la recherche du sens de l'être, puis tournée vers Dieu et aspirant à la connaissance de Dieu à travers l'expérience mystique, cette expérience en soi de l'amour d'un Autre. »

Tandis que M. Koyré suit, à voix haute, le fil des événements passés, les souvenirs se lèvent nombreux et ses paroles ardentes réussissent à communiquer un peu du feu qui brûlait dans la grande âme d'Edith. C'est plus qu'un témoignage ordinaire : la confidence d'un ami, qui a partagé la même recherche. On garde l'impression d'une rencontre, d'un contact avec le mystère qui habitait Edith Stein.

De Munich, le professeur Dempf, un autre de ses amis, nous a écrit pour exprimer son admiration pour l'œuvre d'Edith Stein, philosophe, et sa vénération pour la Carmélite martyre.

« La phénoménologie, souligne-t-il, était plus pour elle qu'un pont vers le thomisme, elle a ouvert à Edith Stein le chemin allant de la simple objectivité des phénomènes et de leur connaissance certaine, à la connaissance rigoureuse de l'être : le chemin allant de la méthode phénoménologique à la méthode ontologique [4]. »

Nous tenons du professeur Dempf une étude sur *La grande œuvre d'Edith Stein : Endliches und Ewiges Sein.* De ce document de caractère technique, qui dépasse le cadre modeste de notre biographie, nous donnons le résumé en appendice.

---

4. Lettre du professeur Dempf, du 16-12-1952.

C'est au Carmel qu'Edith Stein devait composer ses deux ouvrages principaux : *Etre fini et Etre éternel (Endliches und Ewiges Sein)* et *La Science de la Croix (Kreuzeswissenschaft)*. Nous en donnons pour conclure une brève présentation.

ETRE FINI ET ETRE ETERNEL [5]
Essai d'une élévation sur le sens de l'Etre.

Edith Stein s'explique elle-même dans sa *préface* sur l'origine de cette œuvre monumentale. Elle avait travaillé pendant des années dans la ligne d'Edmond Husserl et de la phénoménologie. Mais, au moment où la réputation de philosophe lui arrivait, elle ne songeait à rien moins qu'à cet honneur. Elle venait de trouver le chemin du Christ et de son Eglise, et n'était préoccupée que des conséquences de cette extraordinaire découverte. Professeur à l'Institut des Dominicaines de Spire, elle pouvait entrer dans l'intimité du monde catholique. Elle sentit le besoin de s'enquérir des fondements intellectuels de ce monde. C'est alors qu'elle se mit à l'étude de saint Thomas : non pas de la *Somme théologique,* où certains, interprétant peut-être avec trop de hâte le prologue de l'humble docteur, ne voyaient qu'un « manuel », mais des Questions Disputées *De Veritate.* Si profondément qu'elle le vénérât, elle ne venait pas à lui avec une intelligence vierge. La phénoménologie l'avait fortement marquée. Elle décida d'entreprendre une confrontation des deux disciplines. D'abord, dans une première esquisse sur *la Phénoménologie de Husserl et la philosophie de saint Thomas d'Aquin.* Puis dans un essai plus vaste centré sur les notions de puissance et d'acte. C'est ce nouvel essai qu'elle reçut de ses supérieurs la tâche de reprendre, après avoir achevé son noviciat au Carmel, et qui, remanié, est devenu son grand livre sur *Etre fini et Etre éternel,* où elle cherche à déceler la contingence de l'être fini pour s'élever à l'Etre éternel. Edith Stein avoue qu'elle est encore une novice en scolastique — une novice qui pourtant a traduit en allemand le *De Veritate.* A ses yeux, dit-elle, Aristote

---

5. *Endliches und Ewiges Sein, Versuch eines Aufstieg zum Sinn des Seins,* Fribourg-en-Brisgau et Louvain, 1950 (510 pages).

et saint Thomas représentent avant tout un point de départ. S'il
lui arrive, en les développant, de s'écarter d'eux d'une manière tout
à fait consciente et de rejoindre des positions qui sont celles de
Platon, de saint Augustin, de Duns Scot, peu lui importe. Au
contraire, elle répond que, par-delà les barrières des temps, des
écoles, il y a, en tous ceux qui cherchent profondément la vérité,
une région commune en laquelle se concilient leurs oppositions, et
c'est à l'avènement de cette vivante pensée philosophique et théologique qu'elle ambitionne de travailler. Dans le même temps
qu'Edith Stein composait l'essai qui devait donner naissance à son
livre, le père Eric Przywara, S. J. écrivait le sien sur *l'Analogie
de l'Etre.* Les deux auteurs ont eu ensuite entre eux de fréquents
échanges.

Pour finir cette préface, Edith Stein rapproche son livre de ce
qu'elle appelle les efforts contemporains les plus importants pour
fonder une métaphysique. A savoir, d'une part, la *Philosophie de
l'existence,* de Martin Heidegger et, d'autre part, une réplique,
La doctrine de l'Etre, exposé dans les essais de Hedwige Conrad-
Martius. Au temps où Edith Stein était encore assistante de Husserl,
à Fribourg, Heidegger se rapprocha de la phénoménologie. Cela
donna lieu, entre elle et lui, à des rapports personnels auxquels
mirent fin leur séparation dans l'espace et la divergence de leurs
voies. Edith Stein lut *Etre et Temps* peu après sa parution. Elle en
éprouva une forte impression, mais sans pouvoir procéder alors à
une véritable confrontation de vues. Elle a utilisé dans son livre
les souvenirs qui lui sont restés de ses rencontres avec Heidegger ;
mais c'est seulement après l'avoir terminé qu'elle éprouva le besoin
de comparer entre elles ces deux tentatives de pénétration du sens
de l'être. Elle pensa alors à une annexe où seraient analysés les
principaux textes de Heidegger. Ces analyses ont été incorporées par
les éditeurs dans le livre même, où elles figurent en note.

De Hedwige Conrad-Martius, qu'elle cite souvent dans son
livre, elle déclara avoir reçu, en cette période décisive de leur vie,
orientation et impulsion.

Dans l'*Introduction,* qui forme les premiers chapitres du livre,
elle précise sa notion de philosophie chrétienne. La révélation
chrétienne, bien qu'elle soit supérieure à la raison, a apporté sur
les problèmes de la création, de la personne, de la nature, de la
substance, de l'accident, des données auparavant inconnues, qui
ont creusé et même illuminé le mystère de l'être fini. Dès lors,
pour le croyant, la raison ne peut continuer son œuvre d'investi-

gation de l'être qu'en acceptant de se laisser instruire par les données de la théologie. Si ces données se révèlent philosophiquement
fécondes, le non-croyant pourra les admettre à son tour, non plus
certes à titre de données (*thèses*), mais à titre de postulats (*hypo-
thèses de recherche*). Croyant et non-croyant pourront ainsi faire
route ensemble sur un certain plan. Sous la lumière de la révélation, la raison chrétienne peut fonctionner soit en demeurant sur
son propre sol et en gardant elle-même l'initiative de ses démarches ; soit, au contraire, en se mettant comme un instrument au
service des données et des initiatives supérieures de la foi. Edith
Stein ne fait pas expressément cette dernière distinction ; en sorte
qu'il lui devient difficile de dire comment se différencient la
philosophie chrétienne et la théologie. Elle regarde les *Sommes*
médiévales à la fois comme théologiques : elles mettent les données
de la philosophie au service de la théologie ; et comme philosophiques : elles étendent aux faits de la révélation leur analyse
de l'être. *Etre fini et Etre éternel* sera, dès lors, un livre où se rejoin-
dront les problèmes de la philosophie et les problèmes de la théologie. Au-dessus des clartés de la philosophie chrétienne et de la
théologie, Edith Stein, en fidèle disciple de saint Thomas et de
saint Jean de la Croix, situera la lumière de la foi, puis celle de
l'expérience mystique, enfin celle de la vision béatifique. Et il y
aura au-delà la connaissance que Dieu a de Lui-même.

Une analyse de l'œuvre déborde le cadre du présent écrit.
Dans une première partie (chapitres II à V) est scrutée la nature de
l'être fini : *l'être fini, déclare Edith Stein, est le déploiement d'un
sens ; l'être essentiel (esse essentiae) est un déploiement intem-
porel, par-delà l'opposition de la puissance et de l'acte ; l'être
existentiel (esse existentiae) est un déploiement par lequel une forme
essentielle passe de la puissance à l'acte dans l'espace et dans le
temps.*

La seconde partie (chapitres VI à VIII) traite de l'Etre éternel ;
des vestiges et des images de la Trinité dans le monde ; enfin de
l'individuation (Edith Stein la rattache à la forme des êtres, non,
comme l'école thomiste, à leur matière) et de la personnalité chez
l'homme et chez l'ange.

L'ouvrage finit par une perspective sur le corps mystique du
Christ.

Ce livre donne la mesure d'Edith Stein comme philosophe et
comme théologienne, et cette mesure est grande. Dès les premières
pages on est saisi par la maîtrise et la clarté de sa pensée, la

précision de son style, la netteté de ses choix. Elle est née écrivain. Sa culture est haute et vaste. Elle se meut avec aisance et sûreté dans nos problèmes modernes. La richesse de son information est exceptionnelle, notamment en ce qui concerne la philosophie allemande contemporaine, au sein même de laquelle elle a trouvé, non perdu, la foi.

Un grand souffle soulève tout l'ouvrage. C'est celui d'une âme qui n'a jamais consenti à aucune lâcheté ni trahison à l'égard de la vérité, qui croit en elle avec un cœur sans souillure, qui la désire avec cette passion que peut seule donner la certitude de la posséder un jour. Même si l'on croit devoir se séparer d'Edith sur quelque point particulier, on a profit de l'avoir entendue ; elle communique cette confortation secrète que donne, à ceux qui savent la reconnaître, une âme vouée à la droiture et à la profondeur.

LA SCIENCE DE LA CROIX [6]
Etude sur saint Jean de la Croix.

Ce livre, d'un caractère moins technique, où abondent les citations de saint Jean de la Croix, est accessible à tous les genres de lecteurs.

Dans une courte *préface*, Edith Stein nous livre un dessein qui ne manque pas de hardiesse : à la clarté de son expérience de Carmélite, entrer, comme par divination, dans le cœur de la doctrine de saint Jean de la Croix, pour en montrer l'unité, et même, elle ne craint pas de l'avouer [7], pour la porter par endroits à un degré de clarté plus élevé, en faisant appel à l'apport des recherches modernes sur la philosophie de la personne, et en introduisant dans son vocabulaire quelques mots étrangers au saint docteur, tels que le *moi*, la *liberté*, la *personne.*

L'*Introduction* traite du sens et des fondements originels de la science de la Croix. C'est en saint Jean de la Croix qu'Edith Stein cherche une telle science :

« On ne parle pas ici, dit-elle, de science au sens courant, on

---

6. *Kreuzeswissenschaft, Studie über Joannes a Cruce,* Louvain 1950 et Fribourg-en-Brisgau (312 pages).
7. Ibid. p. 144.

ne pense pas à une pure théorie, à un assemblage de propositions
vraies ou regardées comme telles, à un édifice idéal construit par
la pensée. On pense, certes, à une vérité connue — à une théologie
de la Croix — mais cette vérité est vivante, existentielle, féconde :
elle ressemble à une semence jetée dans l'âme. Elle y prend racine,
y croît, y met son empreinte, en imprègne l'agir et le faire, à tel
point qu'elle rayonne au travers et se fait reconnaître. C'est en
ce sens qu'on parle d'une science des saints, et que nous parlons
d'une science de la Croix. A cette énergie cachée au plus profond
de l'être répond sans doute une vue de la vie, une représentation
de Dieu, de l'homme, de sa place dans le monde, qui pourra s'exprimer dans une conception, une théorie. C'est une telle expression
théorique que nous trouvons dans la doctrine de saint Jean de la
Croix. Nous essaierons de chercher dans ses écrits et dans sa vie
ce qui en fait l'unité et la spécificité. »

Edith Stein termine son *Introduction* en constatant la présence
en saint Jean de la Croix de trois dons apparentés mais pourtant
bien distincts. Elle parle de trois réalités (Sachlichkeiten), il faudrait dire en empruntant un mot au récent ouvrage de Jacques
Maritain, *Creative Intuition in Art and Poetry* [8], de trois *innocences :*
l'innocence de la sainteté, l'innocence de l'enfant, l'innocence de
l'artiste.

Le livre comprend trois parties. La première s'intitule : *Le message de la Croix.* On y décrit la suite des grâces par lesquelles le
Christ attire progressivement Jean de la Croix dans la profondeur
du mystère. Cette partie se termine par une importante citation
de la *Montée du Carmel* [9], sur la nécessité d'entrer par la porte
étroite : voilà le contenu du message de la Croix.

La seconde partie, la plus importante, étudie la *doctrine de
la Croix.* On y scrute les rapports de la Croix et de la nuit
(Nuit des sens) ; les rapports de l'esprit et de la foi, qui sont
des rapports de mort et de résurrection spirituelle *(Nuit de l'esprit) ;* et enfin la splendeur de la résurrection et du mariage spirituel de l'âme *(Vive flamme d'amour* et *Cantique spirituel).* On
essaie, chemin faisant, mais avec sobriété et sans rien de préten-
tieux, de traduire les images sensibles ou spatiales de saint Jean
de la Croix et de sainte Thérèse, par exemple celle des demeures
intérieures, en fonction des données philosophiques modernes sur

8. Pantheon Books Incorporated, New York, 1953.
9. Livre II, Ch. 7.

la structure de l'âme, sa personnalité, sa liberté. De larges citations du *Cantique spirituel* illustrent cette deuxième partie.

La troisième, qui a pour titre : *L'Ecole de la Croix,* est faite d'un fragment d'une quarantaine de pages, où sont recueillis soit les pensées du saint docteur, soit les témoignages des contemporains. Puis vient le récit de sa mort, emprunté aux documents rassemblés par le père Bruno de Jésus Marie. C'est ici que s'arrête le manuscrit d'Edith Stein. La troisième partie est restée inachevée. Newman n'a pas écrit la fin de son livre sur le *Développement du Dogme chrétien ;* il l'a vécue, en entrant dans l'Eglise. Edith Stein n'a pas écrit la fin de son livre sur *la Science de la Croix ;* elle l'a vécue, intensément, en mourant pour la Croix.

CHAPITRE IX

LES VOIES DU SILENCE

Le nom d'Edith Stein commençait d'être connu, non seulement dans les milieux intellectuels, mais encore parmi les groupements de jeunesse et les cercles féminins catholiques. Son véritable don oratoire, s'étant révélé dans de petites causeries intimes, la fit inviter bientôt par des associations de plus en plus importantes. Elle prit la parole à Fribourg, Munich, Cologne, Zurich, Vienne et Prague. De préférence elle traitait les divers aspects de la vocation de la femme chrétienne, mais fit également quelques conférences très remarquées sur saint Thomas.

A Salzbourg, en 1930, elle remporta un réel triomphe durant la semaine internationale universitaire. Un grand nombre de professeurs éminents étaient réunis. Lorsque Edith parut en public, elle semblait si jeune, vêtue avec une telle simplicité, que le président voulut rassurer l'auditoire sur le sérieux de la conférencière, qui avait alors trente-neuf ans. Elle s'exprimait avec une assurance tranquille, sans un geste, d'une voix claire et distincte. Le père Oesterreicher, qui participait au congrès, nous dit : « De taille médiocre, elle semblait grandir tandis qu'elle parlait, comme si elle avait voulu envelopper toutes choses en un geste maternel, tandis que son regard plongeait au loin dans la contemplation de la vérité [1]. »

Un professeur de Cologne, qui assistait à la même session, nous raconte comment elle aussi fut saisie par l'éloquence de la conférencière, qui, immobile, tenant ses mains pressées ou jointes, n'usant d'aucune figure de rhétorique et d'aucun éclat de voix, captivait son auditoire. C'était la force de la pensée toute pure, exprimée en termes simples, avec une profonde conviction, qui ravissait les esprits.

Sœur Aldegonde Jaegerschmid la revit à cette époque, après dix années de séparation durant lesquelles elle-même, convertie du protestantisme au catholicisme, était entrée chez les Oblates bénédictines de Sainte-Lioba, à Fribourg-en-Brisgau. Elle trouva Edith mûrie et transformée : « Jamais je n'oublierai sa manière de parler, qui est indescriptible. Elle abordait les plus graves problèmes d'une manière bouleversante : avec un très grand sérieux et un sourire ravissant. Elle possédait une irrésistible force de persuasion...

« Un jour, il m'en souvient, elle fit une causerie aux religieuses sur la sainteté, citant sainte Thérèse, devenue son maître et son modèle. Elle était assise devant nous à une table, l'air pensif et timide, presque embarrassé. Puis elle se laissa emporter par son amour pour la sainte et parla de telle sorte que nous étions suspendues à ses lèvres. »

Non seulement elle traitait de l'être de la femme et de sa vocation chrétienne, mais elle exprimait ces choses par son comportement et par toute sa vie. Elle allait droit son chemin, inattentive aux éloges et aux rumeurs du monde, le cœur fixé en Dieu, épiant sa volonté. Le succès la laissait indifférente. Ses conférences lui semblaient une forme d'apostolat.

Et la conjoncture politique troublée, la marée montante d'antisémitisme leur donnaient une valeur de témoignage chrétien authentique. Une lettre de dom Walzer nous confirme dans cette opinion : « Je suis persuadé, écrit-il, que certaines de ses conférences constituaient un des rares et courageux témoignages de ce temps, et qu'elle le portait, en pleine conscience, avec résolution [2]. »

---

1. Oesterreicher, in *Walls are crumbling,* p. 326.
2. Dom Walzer, lettre du 22-9-1952.

Tandis que les journaux faisaient grand cas de son intervention à la semaine de Salzbourg, Edith Stein, de retour à Spire, corrigeait les devoirs de ses élèves avec la même application paisible qu'elle apportait à toutes choses.

En un mot adressé à sœur Aldegonde (à qui sont envoyées les lettres qui suivent), elle définira très simplement le but qu'elle se propose :

« Si je ne me sentais tenue de parler des choses surnaturelles, rien ne me déciderait à monter à la tribune...

« Mais c'est au fond toujours une petite vérité très simple que j'ai à dire : comment on peut commencer à vivre en mettant sa main dans celle du Seigneur [3]... »

Au printemps de 1931, le 27 mars, sur le conseil de dom Walzer, Edith prit congé des Dominicaines de Spire. Une double tâche l'attendait : terminer sa traduction du *De Veritate,* élargir son champ d'influence par ses conférences et son enseignement. Elle se retira plusieurs mois dans sa famille à Breslau. « Saint Thomas, écrit-elle, ne se contente plus des quelques heures que je pouvais distraire de mes cours, il me veut toute à lui. » A l'automne, son ouvrage étant presque achevé, elle entreprit des démarches en vue de se faire nommer à la faculté de philosophie de Fribourg-en-Brisgau.

Le séjour dans la maison maternelle fut très pénible. Edith trouva sa sœur Rose dans un état de profonde souffrance. Elle désirait ardemment le baptême, mais n'osait pas le demander par crainte d'aggraver le chagrin de leur vieille mère. Leur nièce Erika, sincèrement attachée au judaïsme, manifestait ouvertement son opposition à la foi catholique avec une intransigeance et une fougue qui rendaient plus délicate encore la position des deux sœurs vis-à-vis du reste de la famille.

L'attrait d'Edith pour le cloître allait toujours grandissant. Cependant, son amie bénédictine le souligne à propos, il ne s'agissait pas alors de céder à ce désir, mais de le combattre, pour faire face à de multiples obligations et répon-

3. Lettre du 28-4-1931.

dre à l'attente d'innombrables amis. « Aussi nous écrivions-
nous, non pour nous convaincre de la primauté de la vie
religieuse, mais pour chercher ensemble le moyen d'y
renoncer... »

Au mois de juin, Edith, ne pouvant plus taire la soif qui
la presse, écrit à son amie : « Je pensais bien, lorsque je
résolus de quitter Spire, que la vie hors du cloître me paraî-
trait insupportable. Mais je n'imaginais pas que ce serait
aussi dur. » Puis elle ajoute, comme pour se faire pardonner
ce cri du cœur : « Pourtant je n'ai pas songé un seul instant
à regretter la décision prise, ne doutant pas que tout cela ne
soit dans l'ordre... [4] »

Deux mois auparavant, elle confiait à la même :

« Je préférerais de beaucoup me rendre à Fribourg, une
fois cet ouvrage terminé (la traduction du *De Veritate*)...
Quand ? je n'en sais rien. Ce travail, depuis que je l'ai entrepris, me paraît dépasser en importance tout le reste... pour
l'avenir, Dieu sait ce qu'il me réserve et je n'ai pas à
m'en préoccuper [5]. »

A la fin de l'automne de la même année, nous trouvons
Edith à Fribourg ; elle y prend contact avec le doyen de l'Université, M. Finke, ainsi qu'avec les professeurs Heidegger et
Honnecker. Martin Heidegger parut bien disposé à son égard.
Il lui promit de ne pas soulever d'objection à sa nomination
et de ne faire aucune réserve, ni sur sa personne ni sur la
nature de son enseignement. D'autres professeurs se montrè-
rent plus réticents. Les démarches traînaient en longueur,
lorsque Edith reçut une proposition inattendue. Celle-ci venait
du doyen de la faculté de théologie de Munster, M. l'abbé
J. P. Steffes, qui était aussi le directeur de l'Institut des
sciences pédagogiques. En accord avec la présidente de
l'Union catholique féminine des professeurs d'Allemagne,
Maria Schmitz, il lui offrait de prendre la direction de la partie
de l'Institut consacrée à la formation d'une élite enseignante.
Elle devait assumer ces fonctions nouvelles au printemps

4. Lettre à sœur Aldegonde, du 28-6-1931.
5. Idem, lettre du 28-4-1931.

de l'année 1932. Nous donnons plus loin quelques pages de Mgr Steffes, relatives à cette période.

Durant son séjour à Fribourg, Edith eut la joie de revoir longuement Husserl. Ni les divergences philosophiques ni la conversion du disciple au catholicisme n'avaient pu séparer ces deux êtres, dont l'accord profond subsista jusqu'à la mort. Husserl n'a-t-il pas lui-même admis :

« ... On peut avoir personnellement de bons rapports, même quand on s'est séparé sur la manière de concevoir le monde, et je pense ce-disant à la conversion d'Edith...

« ... Un grand nombre de mes élèves se sont tournés radicalement vers la religion d'une remarquable manière : les uns sont devenus des chrétiens évangéliques profondément croyants ; d'autres se sont convertis à l'Eglise catholique. Dans leurs rapports avec moi rien n'a été changé, la confiance mutuelle n'a pas été brisée [6]... »

Deux ans avant sa mort, le maître vieillissant ajoutait cette remarque, qui livre un peu le fond de sa pensée :

« ... La vie de l'homme n'est rien d'autre qu'un chemin vers Dieu. J'ai essayé de parvenir au but sans l'aide de la théologie, ses preuves et ses méthodes ; en d'autres termes j'ai voulu atteindre Dieu sans Dieu. Il me fallait éliminer Dieu de ma pensée scientifique pour ouvrir la voie à ceux qui ne connaissent pas, comme vous, la route sûre de la foi passant par l'Eglise... Je suis conscient du danger que comporte un tel procédé et du risque que j'aurais moi-même encouru, si je ne m'étais pas senti profondément lié à Dieu et chrétien au fond du cœur [7]... »

Edith put demeurer une grande partie de l'automne et de l'hiver suivant au monastère des Bénédictines de Sainte-Lioba. Elle habitait une petite cellule sous les toits, nous raconte sœur Aldegonde, et elle y travaillait assidûment : préparant ses conférences et poursuivant ses recherches philosophiques. Sa chambre, toujours nette, paraissait étonnamment vide de livres pour une intellectuelle.

---

6. Entretien du 23-3-1934.
7. Entretien de décembre 1935.

« C'est du crucifix, encore suspendu à la même place, au-dessus de la table lui servant de bureau, qu'elle détenait déjà toute sa science », remarque son amie, qui ajoute ce trait émouvant : « Elle parlait peu mais chacune de ses paroles portait, car elle naissait des profondeurs du silence et de la prière. Comment oublier ce regard si grave, indiciblement douloureux, qu'elle jetait sur le Crucifié — le Roi des Juifs — lorsqu'elle lisait à travers le déroulement des événements l'annonce d'une persécution raciale de plus en plus violente. Je l'entendis un jour qui murmurait : « O combien mon peuple devra souffrir, avant qu'il ne se convertisse » — et une pensée me traversa l'esprit, rapide comme l'éclair : Edith s'offre à Dieu pour la conversion d'Israël [8]. »

Sa présence dans le couvent était bienfaisante. Elle travaillait en paix et dispensait la paix autour d'elle. Sœur Aldegonde, qui visitait alors les femmes détenues dans la grande prison de Bruchsal (Bade), s'inquiétait parfois, craignant de compromettre l'équilibre toujours fragile et menacé entre la vie de prière et d'apostolat. Edith la rassurait doucement, lui enseignant, avec une tendresse maternelle et une immense charité, comment puiser aux sources du mystère de la Rédemption la force de s'oublier soi-même, renonçant aux plus purs de ses désirs, afin de se sacrifier pour le salut d'autrui.

Elle respirait la paix et l'abandon. Ne s'est-elle pas trahie elle-même en griffonnant hâtivement ce mot de réponse à son amie, qui avouait « ne pas aimer le style de *l'Histoire d'une âme* » :

« Ce que vous m'écrivez de la petite Thérèse me surprend. Jusque-là je n'avais pas même songé qu'on puisse l'aborder de cette manière. La seule impression que j'aie eue, c'est que je me trouvais là devant une vie humaine uniquement et totalement traversée jusqu'au bout par l'amour de Dieu. Je ne connais rien de plus grand, et c'est un peu de cela que je voudrais, autant que possible, transporter dans ma vie et dans la vie de ceux qui m'entourent [9]. »

---

8. Souvenirs de sœur Aldegonde.
9. Lettre du 17-3-1933.

Avec cela elle se montrait pleine d'entrain et de gaieté, riant de bon cœur, animant de son esprit les conversations les plus banales. Douée d'un sens merveilleux de l'humour, personne mieux qu'elle ne savait découvrir le comique d'une situation. Son attitude, habituellement réservée, n'était en rien conventionnelle ou figée.

« Au moment des fêtes, nous rapporte sœur Aldegonde, je l'accompagnai jusqu'à la vieille gare d'où partaient les trains d'excursion vers la Forêt Noire ou la vallée du Danube. Elle voulait se rendre à Beuron et se réjouissait comme une enfant à l'approche de Noël. Son visage, si pâle d'ordinaire, était animé par la joie et rosi par la bise de décembre, ses yeux brillaient de plaisir, elle ne se contenait plus... Elle nous revint toute recueillie, ses traits portant encore la mystérieuse empreinte de la lumière de grâce [10]. »

De cette époque date une analyse délicate de la vie intérieure. Edith la rédigea sous forme de lettre adressée au bulletin mensuel d'un cercle de femmes catholiques. L'essai s'intitule *Les voies du silence*. Rédigé en février 1932, il porte en marge cette note ajoutée par l'auteur :

« Si nous essayons de contempler silencieusement le chemin parcouru par la Mère de Dieu : de la Purification au Vendredi Saint, elle-même nous fera trouver les voies du silence. »

LES VOIES DU SILENCE
PAR EDITH STEIN [11].

... Nous avons essayé de déceler dans la femme les dons qui la disposent à répondre à la vocation à laquelle elle est prédestinée de toute éternité. Nous avons énuméré les principales qualités de l'âme féminine. Celle-ci doit être : grande, vide d'elle-même,

---

10. Souvenirs de sœur Aldegonde, décembre 1931.
11. Paru dans le bulletin mensuel de la *Societas religiosa*, Union féminine catholique, à Zurich, février 1932. Cité, C, pp. 100 et suivantes.

silencieuse, ardente et limpide. La question s'est aussitôt posée de savoir comment prendre conscience de ces capacités virtuelles, comment les développer.

Car il s'agit bien plutôt d'une disposition générale, inclinant l'âme, que d'un ensemble de qualités précises pouvant être ou n'être pas utilisées. Cette disposition, il ne nous appartient pas de la créer en nous par un effort de volonté, elle est un effet de la grâce. Ce que nous pouvons et devons faire : c'est nous ouvrir à cette grâce.

Comment cela ? En renonçant absolument à notre vouloir propre, en nous constituant prisonnières de la volonté de Dieu, en remettant notre âme toute disponible entre les mains divines. Aussi le silence et l'oubli de soi sont-ils en étroite dépendance. Par nature, l'âme est toujours pleine à déborder... Toutes sortes de choses futiles la remplissent, l'une succédant à l'autre, elles mettent l'âme en un état d'agitation incessante, sinon d'inquiétude ou de tempête.

Dès le petit matin, au réveil, nous voudrions nous précipiter vers les tâches qui nous pressent, les œuvres qui nous sollicitent. Leur pensée nous aura sans doute poursuivies, troublant peut-être le repos de la nuit.

... C'est alors qu'il convient de nous ressaisir, de nous dire : Attention, rien de tout cela ne doit m'atteindre. La première heure de ma journée appartient au Seigneur. La tâche qu'Il m'indiquera je l'accomplirai, mais c'est Lui qui m'en donnera la force. Ainsi, « j'irai vers l'autel de Dieu ». Il ne sagit pas ici de moi, ni de mes capacités limitées, mais du Sacrifice par excellence, du mystère de la Rédemption. Je suis invitée à y participer, à m'y laisser purifier et réjouir ; à me laisser prendre avec tout ce que je puis donner — offerte pour souffrir — avec la Victime pure, sur l'autel.

Lorsque le Seigneur viendra vers moi, dans la sainte communion, je lui demanderai, comme sainte Thérèse : « Seigneur que désires-tu de moi ? » puis j'irai vers ce qu'Il me découvrira en un silencieux dialogue.

Me rendant à mon travail, sitôt ce festin matinal, j'y porterai une âme paisible, vide de ce qui pouvait l'oppresser et la troubler, remplie de joie sainte, d'ardeur et de force. Mon âme sera grandie et fortifiée, car, sortie d'elle-même, elle aura pénétré dans la vie divine. Le Seigneur y aura allumé la flamme de la charité qui, brûlant doucement, la poussera à communiquer aux autres ce feu de l'amour. *Flammescat igne caritas, accendat ardor proximos.* (Hymne de Tierce).

L'âme verra distinctement s'éclairer devant elle une partie du chemin à parcourir. Son regard ne portera pas bien loin, mais tandis qu'elle cheminera, de nouveaux horizons se révéleront et leurs voies d'accès lui seront découvertes en temps utile.

Reste à nous mettre à l'œuvre, à travailler, et peut-être quatre à cinq heures de suite, s'il s'agit de faire la classe, ou d'aller au bureau. Ces heures seront écoulées bien avant que nos obligations ne soient remplies... la fatigue personnelle, les interruptions imprévues, la turbulence des enfants, la mauvaise volonté des collègues... que sais-je ! toutes sortes de facteurs seront intervenus...

A midi me voilà donc épuisée, rentrant chez moi la tête brisée, pour y trouver sans doute quelque souci supplémentaire. Hélas, qu'est-il advenu de cette fraîcheur matinale de l'âme ? Je serai tentée de foncer sur l'obstacle, de me mettre en colère, les sujets d'impatience, de mécontentement, de remords, me dévoreront le cœur. Et pensant à tout ce qui me reste à accomplir j'hésiterai à prendre du repos, songeant plutôt à repartir aussitôt.

Ici encore, il faut retrouver la paix, ne serait-ce qu'un instant. Chacune doit se connaître assez pour savoir par quel moyen rétablir le calme. La solution la meilleure serait une courte halte près du Tabernacle, afin de déposer nos soucis aux pieds du Maître. Si c'est impossible, essayons de reprendre souffle dans notre chambre, peut-être de nous y reposer physiquement, quand le besoin s'en fait sentir. Et, si nos obligations nous interdisent ce temps d'arrêt, si les circonstances matérielles préviennent notre visite à l'église, ou notre retour à la maison ?

Rien ne doit alors nous détourner de nous enfermer en nous-mêmes, de nous isoler des bruits et de nous enfuir vers le Seigneur. Il est toujours présent et Il peut en un instant restaurer nos forces. Ainsi le reste de la journée se déroulera peut-être dans la fatigue et l'affliction, mais dans la paix. Le soir venu, si notre regard intérieur découvre bien des lacunes, nous révélant tout ce qui a été manqué, si la honte et le repentir nous montent au cœur, prenons-nous comme nous sommes — avec ce que nous avons pu achever —, puis remettons-nous entre les mains de Dieu, et abandonnons-nous Lui tout. Alors nous pourrons nous reposer en Lui, nous reposer en vérité. Quant à la journée neuve qui nous attend demain, nous l'aborderons comme une vie nouvelle, où tout recommence.

Ces conseils n'ont d'autre but que vous aider à organiser vos journées de façon à faire place à la grâce de Dieu. Chacune de vous saura trouver ce qui lui convient en ces lignes. Il resterait à vous montrer comment le dimanche devrait être une porte largement ouverte vers le ciel, afin de laisser pénétrer en nous la lumière et la force, pour toute une semaine. Comment aussi, si nous savions vivre dans l'esprit de l'Eglise les temps liturgiques, fêtes ou vigiles, l'âme se tournerait bientôt, d'année en année, vers l'éternité, comme un fruit qui mûrit avant de tomber dans le repos du Sabbat éternel...

CHAPITRE X

LE PLUS GRAND AMOUR

L'attitude d'âme toute simple d'Edith la tournait de plus en plus vers son Père du ciel. Elle était confiante et disponible comme un enfant qui se sait aimé. Mais elle ne sous-estimait pas ni ne méprisait, de ce fait, les problèmes de l'ordre temporel.

Elle voyait avec lucidité le national-socialisme étendre ses ravages, gagnant l'Allemagne comme un poison qui pénètre l'organisme avant de le corrompre. Un petit livre publié à Munich [1] nous a conservé les principaux thèmes de ses conférences et nous permet de mesurer le courage tranquille avec lequel elle ne cessa d'affirmer l'inaliénable dignité de la personne humaine. On l'a vue, toute jeune encore, défendre les droits de la femme ; et plus tard s'attacher aux problèmes sociaux, appuyer le droit de grève. A l'issue de la Première Guerre mondiale, elle soutint la République de Weimar, militant dans le parti démocrate, prenant la parole à l'occasion. Elle aimait ardemment sa patrie : « L'expérience d'un peuple vaincu, écrit-elle, enferme une douleur immense et insondable, l'individu

---

1. « Vocation et formation de la femme » (*Frauenbildung und Frauenberufe,* Editions Schnell und Steiner, Munich 1949 et 1953).

qui voudrait la partager se trouve comme dépassé... [2] »
A Göttingen, étudiant l'histoire près de Max Seelman, elle
avait appris à penser en termes européens. Par la suite,
devant l'iniquité des lois raciales et des persécutions antisémitiques, elle a partagé les espoirs des Sionistes et animé
de sa flamme leur mouvement naissant.

L'une de ses études, publiée dans les « Annales Husserl »,
analyse la notion d'Etat dans ses rapports avec la nation,
ses relations à la communauté humaine et à la société des
peuples. Reconnaissant à l'Etat une souveraineté légitime,
elle s'élève en revanche avec force contre le nationalisme et
les régimes totalitaires.

En elle tout est absolument vrai, dira Husserl, apprenant
sans la comprendre son entrée au Carmel. Si nous jetons
un regard d'ensemble sur son œuvre philosophique, ses
écrits spirituels, ses conférences et ses lettres, nous sommes
saisis d'un sentiment analogue. Son style sobre, sa pensée
claire, les richesses profondes de sa sensibilité sont au service de la seule vérité.

Elle ne pouvait tolérer le mensonge ni l'injustice. A Munster, durant l'année scolaire, elle encouragea ses élèves à
former un groupe opposé au rassemblement des étudiants
nazis : A.N.S.T. et prit part aux réunions contradictoires.
« Ce qu'elle disait alors était juste et beau, rapporte un
témoin, mais sa parole était trop dense et mesurée pour
porter sur la masse. »

La même note dominante se retrouve dans tous les témoignages des amis d'Edith. A Munster comme à Spire, à Beuron
ou à Fribourg, elle agit surtout par sa présence silencieuse
et la force spirituelle qu'elle dispense. Toujours paisible et
réservée, elle pourrait passer inaperçue. Mais a-t-on besoin
d'elle, on se sent accueilli par une brûlante charité et dominé
par une intelligence remarquable. Ses collègues et ses disciples sont émerveillés par sa capacité de travail : ses journées
commencent à cinq heures le matin, pour s'achever vers

---

2. Annales Husserl, 1922.

onze heures le soir. Elle communie chaque jour, récite le
bréviaire et passe de longues heures à prier, immobile et
perdue en Dieu. Depuis longtemps, elle s'abstient de viande,
ses repas sont frugaux et elle observe des jeûnes fréquents.
Parfois elle veille la nuit entière près du Tabernacle et le
matin reprend son travail sans effort apparent. « Comment
une telle nuit m'aurait-elle fatiguée ! » répondit-elle un jour,
avec un sourire, se dérobant ainsi aux explications.

En tout cela, sa manière d'agir est d'une simplicité dérou-
tante pour son entourage : « Son assurance tranquille », dit
un professeur, « sa retraite silencieuse », paraissaient de
l'orgueil à beaucoup d'entre nous.

Elle demeure très secrète. Rares sont les amis qui savent
deviner, comme à son insu, un peu des merveilles que
Dieu opère en son âme. Les derniers mois qu'elle passe dans
le monde nous la révèlent toujours plus souple et disponible
à la grâce, toujours plus intériorisée. Elle ne se plaint pas.
Seule la tristesse bouleversante qui marque son visage à
l'annonce des persécutions subies par les Juifs d'Allemagne
trahit un peu de sa souffrance intime.

Ses leçons à Munster, traitant de la « structure de la
personne humaine », sont jugées remarquables par ses collègues.

« Elle nous dépassait toutes, écrit la bibliothécaire de
l'Institut, par l'acuité de son esprit et l'étendue de sa culture. Ses exposés étaient admirablement ordonnés. Enfin
elle se tenait à un autre plan que nous et la lumière de sainteté transparaissait dans sa personne. Je suis persuadée
qu'elle mesurait clairement les faiblesses et les défauts de
ceux qui l'entouraient. Mais jamais elle ne se plaignait de
rien, poursuivant son chemin avec une inaltérable sérénité,
qui, le plus souvent, se trouvait incomprise... [3] »

Un autre membre de l'Institut rappelle qu'elle était répu-
tée parmi les professeurs pour la fermeté de ses convictions.
Elle était celle qui maintenait intégralement l'enseignement
de la pure doctrine catholique sans souffrir de compromis.

---

3. Cité, C, p. 113.

A Juvisy, durant l'automne de 1932, seule femme invitée par la société thomiste pour une journée d'étude consacrée à la phénoménologie, elle expose avec clarté, en langue
française, le point de vue de Husserl, constatant avec sa
loyauté coutumière les aspects positifs et négatifs de sa philosophie.

A Munster, elle prépare un projet de réforme de l'enseignement secondaire en accord avec des collègues de Berlin
et prend une influence marquée sur ses élèves et les religieuses
du Marianum chez qui elle habite.

Son dernier cours a lieu le 25 février 1933. Puis c'est le
séjour à Beuron pour les fêtes de Pâques. Edith a prévu de
longue date l'ampleur qu'atteindrait la persécution des Juifs.
Elle remet à dom Walzer un message pour le Saint-Père
dans lequel elle exprime avec une confiance filiale la détresse
de son peuple et expose par avance les terribles proportions
que prendront les mesures d'extermination frappant Juifs
et chrétiens.

Elle demande au Père Abbé de l'orienter pour son avenir.
« Mais, constate-t-elle avec simplicité, il ne pouvait croire
que je serais obligée de quitter mon poste. » Au retour à
Munster, c'est elle qui prend les devants, lors d'une conversation embarrassée avec l'administrateur de l'Institut, qui
n'ose pas lui signifier son congé.

Encore dans le monde, elle n'était plus de ce monde.
Jacques Maritain, qui la rencontra à Juvisy le 12 septembre 1932, le notait en peu de mots :

« Comment décrire la pureté, la lumière, qui rayonnaient
d'Edith Stein ; la générosité totale que l'on devinait en elle,
et qui devait porter ses fruits dans le martyre [4] ? »

Elle-même nous livre sans le vouloir le secret de sa vocation, en affirmant avec force la puissance insoupçonnée de la
prière contemplative : ... « La prière sacerdotale du Sauveur (Jean, XVII) nous révèle le mystère de sa vie intérieure :
l'intimité des personnes divines et l'inhabitation de Dieu
dans son âme. C'est dans l'abîme de ces profondeurs mysté-

---

4. Jacques Maritain, Introduction à *Walls are crumbling*, p. 7.

rieuses, dans le silence et le secret, que l'œuvre de la Rédemption a été conçue et consommée ; et c'est ainsi qu'elle se poursuivra jusqu'à la fin des temps, *jusqu'à ce que tous soient Un...*

« Dans le silencieux dialogue des âmes consacrées avec leur Seigneur sont préparés les événements immenses du déroulement visible de la vie de l'Eglise, qui renouvellent la face de la terre.

« La Vierge, qui conservait en son cœur chacune des paroles de Dieu, est le type de ces âmes attentives en qui renaît la prière sacerdotale de Jésus. Et les femmes, qui, à son exemple, se sont oubliées, totalement perdues dans la contemplation de la vie et des souffrances du Christ, ont été choisies par le Seigneur avec prédilection pour être ses instruments, pour accomplir dans l'Eglise ses plus grandes œuvres...

« ... Le récit de l'histoire passe sous silence ces forces invisibles et inestimables. Mais le peuple croyant les devine et leur fait confiance et la prudence éclairée de l'Eglise les reconnaît. Il semble bien que notre époque soit de plus en plus acculée — tout autre secours venant à lui manquer — à placer son ultime espoir de salut en ces sources cachées... [5] »

Il faut ici tenter de soulever un peu le voile qui dérobe cette vie réservée à Dieu. La lumière de la Croix semble l'avoir profondément marquée.

C'est à cette lumière, entrevue dans le mystère d'une souffrance chrétienne, baignée d'amour divin, que s'est opérée la conversion initiale d'Edith Stein au Christ. Des longues heures de contemplation silencieuse, qui ont nourri sa vie intérieure ; de son baptême à son entrée au Carmel, elle ne nous dit presque rien. Parfois, un mot qui lui échappe révèle cependant son attirance secrète et profonde vers la Passion de Jésus, trahissant un peu de la soif qu'elle ressent, à son tour, de participer à l'œuvre du salut du monde.

Elle se sent appelée à souffrir pour son peuple qui ne

---

5. *Das Gebet der Kirche* (*la Prière de l'Eglise*), par Edith Stein, Paderborn, 1936.

reconnaît pas la Croix du Sauveur, à porter dans sa prière ceux de ses amis qui cherchent le vrai Dieu, à opposer aux blasphèmes des tortionnaires la muette supplication de son cœur brisé. Sa part à la Croix du Christ, elle ne l'a pas choisie. Elle l'a reçue de la main du Seigneur pour l'avoir humblement, ardemment, sollicitée. Elle n'a cessé depuis son baptême de lui demander de communier au mystère infini de l'Amour rédempteur. Son entrée au Carmel semble l'aboutissement d'une longue marche, patiemment poursuivie, au terme de laquelle, elle le pressent, son désir de souffrir sera comblé par Dieu.

Au jour de sa profession, le dimanche de Pâques de l'année 1935, elle avouera spontanément à une petite sœur encore novice, qui l'interrogeait naïvement, qu'elle se sent devenue *épouse de l'Agneau.* Immolée, elle le sera à son tour, pour les siens et parmi les siens, lorsqu'elle partagera le sort de ces milliers de victimes brûlées dans les fours crématoires du camp d'Auschwitz. Oui, la vie d'Edith Stein, devenue sœur Thérèse-Bénédicte *de la Croix,* tire toute sa splendeur de la mystérieuse lumière de la Croix du Sauveur, qui s'est levée sur elle.

Avant de poursuivre notre récit et pour tenter d'entrevoir un peu le chemin secret qu'Edith Stein doit désormais gravir seule devant Dieu, nous donnons trois documents :

— le mémoire remis par Edith Stein à la Prieure de Cologne, avant de quitter l'Allemagne ;

— une lettre de Mgr Steffes, évoquant son passage à l'Institut pédagogique de Munster ;

— le témoignage rédigé sur Edith Stein, après sa mort, par dom Walzer.

Nous pensons que la lecture de ces textes révélera, dans leur douloureuse simplicité, quelques aspects de la dernière étape de la vie d'Edith Stein.

MEMOIRE REDIGE PAR EDITH STEIN
AVANT DE QUITTER LE CARMEL DE COLOGNE
ET RELATANT SA VOCATION

Quelques semaines avant d'être forcée, par la violence des persécutions antisémitiques, à chercher refuge dans un Carmel de Hollande, sœur Thérèse-Bénédicte remettait à sa Prieure de Cologne, comme « cadeau de Noël » (durant le temps de l'Avent 1938) l'histoire merveilleuse et douloureuse de sa vocation. Voici les parties principales du texte [6] :*

Au moment de la constitution du Troisième Reich, en 1933, j'étais, depuis un an environ, professeur agrégé à l'Institut de Pédagogie scientifique de Munster (Westphalie). J'habitais le collège Marianum avec un grand nombre de religieuses, appartenant aux ordres les plus divers, et un petit groupe d'étudiants laïques...

Un soir, durant le Carême (1933), je m'étais attardée à une réunion d'intellectuels catholiques et ne trouvant plus mes clés pour ouvrir la porte du collège j'essayais vainement de me faire entendre du dehors. Un monsieur qui traversait la rue se proposa pour m'aider : c'était un des professeurs catholiques participant aux travaux de notre Institut. Il me reconnut et me voyant dans l'embarras me dit gentiment après avoir consulté sa femme :

— C'est de très bon cœur que nous vous invitons à passer la nuit dans notre appartement.

Tandis que mon aimable hôtesse, ayant déposé sur la table une coupe de fruits frais, s'éloignait pour me préparer une chambre, son mari se mit à me raconter les dernières nouvelles, que donnaient les journaux américains, des atrocités commises contre les Juifs d'Allemagne.

J'avais entendu parler de ces persécutions massives qui frappaient les Juifs allemands. Mais, soudain, il m'apparut clairement que la main du Seigneur s'abattait lourdement sur son peuple, et que *la destinée de ce peuple devenait mon partage.* Je ne laissais rien paraître à mon hôte des sentiments qui m'agitaient. Il ignorait certainement que j'étais Juive et, contrairement à mon habitude,

_____

6. Cité, C, pp. 115 à 131.

je ne le lui dis pas. Il me parut que ce serait aller contre les lois de l'hospitalité de troubler inutilement le repos de cet homme...

Le jeudi de la semaine de la Passion je partis comme les autres années pour Beuron. Depuis 1928 j'y passais la semaine sainte et les fêtes de Pâques. Cette année-là, je m'y sentais poussée plus encore par les circonstances exceptionnelles. Durant les semaines écoulées je n'avais cessé de m'interroger sur la manière dont je pourrais intervenir dans la question juive. Finalement, j'avais formé le projet de me rendre à Rome, d'y solliciter une audience du Saint-Père et de lui demander une Encyclique. Cependant je ne voulais pas entreprendre pareille démarche de moi-même. J'avais, depuis quelque temps, émis des vœux privés de religion : Beuron était ma patrie spirituelle et le Père Abbé Walzer, mon supérieur, auquel toutes mes décisions étaient soumises par l'obéissance. Je savais que le Père Abbé était parti pour le Japon au début de l'année, mais je pensais bien qu'il ferait l'impossible pour être de retour à Beuron pour la semaine sainte. Bien que cette démarche, projetée à Rome, coûtât fort à ma nature, je sentais intérieurement que ce n'était pas encore cela *l'essentiel* ; mais où trouver cet essentiel ? je n'en savais rien...

Je fis halte à Cologne, afin d'y rencontrer une jeune catéchumène dont je m'occupais dans la mesure de mes loisirs. Je lui avais annoncé ma visite lui demandant de chercher une chapelle où nous puissions prier durant l'heure sainte. C'était la veille du premier vendredi d'avril 1933 et en cette « année sainte » la mémoire de la Passion du Sauveur était l'objet d'une vénération particulière à travers l'Allemagne. Nous nous sommes retrouvées toutes les deux, vers 8 heures du soir, dans la chapelle du Carmel de Cologne. Un prêtre se mit à prêcher en termes émouvants. Mais j'avoue que j'entendais à peine son sermon, tout occupée que j'étais à une autre conversation. Je m'adressais intérieurement au Seigneur, lui disant que je *savais* que c'était sa Croix à lui qui était imposée à notre peuple. La plupart des Juifs ne reconnaissaient pas le Seigneur, mais n'incombait-il pas à ceux qui comprenaient de porter cette Croix ? C'est ce que je désirais faire. Je lui demandais seulement de me montrer comment. Tandis que la cérémonie s'achevait dans la chapelle, je reçus la certitude intime que j'étais exaucée. J'ignorais cependant sous quel mode la Croix me serait donnée.

Le lendemain, je repris le train pour Beuron et j'appris, dès mon arrivée, que le Père Abbé était revenu du Japon le matin même.

Il me dit qu'il ne fallait pas compter obtenir une audience privée du Saint-Père, l'affluence des pèlerins à Rome, pour l'année sainte, étant considérable. Une audience semi-privée ne m'aurait servi de rien. Je renonçai donc à faire le voyage et rédigeai une adresse au Saint-Père. Je sais que ma lettre lui a été remise, scellée, et en mains propres. Peu de temps après, j'ai reçu pour les miens et pour moi, la bénédiction papale. Mais ce fut tout. Je me suis souvent demandé plus tard si la teneur de mon message n'était pas revenue à l'esprit du Souverain Pontife. Les prévisions que j'y faisais, concernant le sort des catholiques en Allemagne, se sont réalisées l'une après l'autre.

Avant de quitter Beuron, je demandai au Père Abbé ce qu'il me conseillait d'entreprendre si je venais à perdre mon poste de professeur à Munster. Cette éventualité lui parut impensable. Pourtant, durant mon voyage de retour, je lus dans un journal le compte rendu du récent congrès nazi sur l'enseignement, auquel les groupements religieux avaient été contraints de participer. Il m'apparut clairement que le régime au pouvoir ne tolérerait pas davantage — et surtout dans l'enseignement — des influences qui lui soient opposées. L'Institut auquel j'appartenais était purement catholique : fondé, dirigé et financé par des catholiques, ses jours étaient donc comptés et mes activités, elles aussi, touchaient à leur terme...

De retour à Munster, le 19 avril, je me rendis à l'Institut le lendemain. Le recteur étant parti pour ses vacances en Grèce, ce fut le gérant, un professeur catholique, qui me reçut. Il me conduisit dans son bureau et me fit part de ses préoccupations. Depuis des semaines, il était aux prises avec l'Etat, en des négociations difficiles et il semblait à bout de forces. « Le croiriez-vous, mademoiselle, me dit-il, il s'est déjà présenté une personne à mon bureau pour déclarer : nous espérons bien que le docteur Stein ne va pas continuer ses cours ici... »

Il ajouta qu'il croyait préférable que je renonce à donner mes cours d'été pour me consacrer entièrement à mes travaux de recherches. Peut-être les choses iraient-elles s'améliorant d'ici l'automne. Si l'Institut pouvait être pris en charge par l'Eglise, de façon officielle, il n'y aurait plus d'empêchement à ce que je reprenne mon poste [7]...

J'accueillis ces nouvelles avec calme. Mais, pour ma part, je

7. Voir plus loin le récit de Mgr Johann Peter Steffes, directeur de l'Institut.

ne croyais pas aux possibilités d'amélioration et je lui dis nettement : « Si mon enseignement n'est plus toléré ici, dans cet établissement, c'est qu'il n'existe plus pour moi de chaire en Allemagne. »

Le gérant fut surpris de ma lucidité. Il m'exprima son admiration : je lui avais paru mener une vie très retirée et il n'en revenait pas que je puisse avoir des événements du monde une vue si claire...

J'étais presque soulagée de me trouver ainsi partager le lot commun aux Juifs allemands. Mais il me fallait toutefois décider de l'avenir. Je pris conseil du syndicat des professeurs catholiques à la demande duquel j'étais venue à Munster. La présidente me proposa de demeurer à Munster pour l'été afin d'y poursuivre mes recherches aux frais du bureau. Si la reprise de mes cours à l'automne s'avérait impossible, il se présenterait sans aucun doute des possibilités à l'étranger. Effectivement, je reçus par la suite une proposition pour l'Amérique latine, mais, à ce moment-là, j'avais déjà pris un tout autre chemin.

Une dizaine de jours après mon retour de Beuron, l'idée suivante se présenta avec force à mon esprit : « Le moment n'est-il pas enfin venu d'entrer au Carmel ? »

Voilà douze ans que j'y pensais. Depuis cette fameuse journée de l'été 1921, où la vie de sainte Thérèse, tombant entre mes mains, mit un terme à mes longues pérégrinations vers la vraie foi. Le 1ᵉʳ janvier 1922, au moment de mon baptême, j'avais senti que ce n'était encore qu'une étape, une préparation, à mon entrée dans l'Ordre du Carmel...

Puis, quelques mois plus tard, me trouvant près de ma vieille mère, j'avais compris qu'elle n'était pas capable de porter ce second coup. Sans doute, elle n'en mourrait point, mais elle connaîtrait une amertume dont je ne pouvais assumer la responsabilité. Je devrais donc attendre, patienter. Je fus confirmée dans cette pensée intime par mes directeurs de conscience, à plusieurs reprises.

Cependant l'attente m'avait semblé particulièrement insupportable les derniers temps. *J'étais devenue comme étrangère au monde...*

Aussi, avant d'occuper ma chaire de professeur à Munster et une fois écoulé le premier semestre, j'avais réitéré ma demande d'entrer au Carmel. Mon directeur m'en refusait toujours la permission ; par égard pour les sentiments de ma mère et en considération de l'influence que j'exerçais depuis quelques années sur les milieux intellectuels catholiques.

Je m'étais donc soumise.

Mais voilà que tous les obstacles paraissaient céder d'eux-mêmes. Mes possibilités d'action touchaient à leur fin. Quant à maman, ne préférerait-elle pas me savoir dans un couvent d'Allemagne, plutôt que dans un lointain collège d'Amérique latine ?

Le dimanche du Bon Pasteur, le 30 avril 1933, je retournai à l'église, tard dans l'après-midi, me disant en moi-même : je ne partirai pas d'ici avant de savoir si le moment est venu, oui ou non, d'entrer au Carmel. Et lorsque le prêtre eut donné la bénédiction du Saint Sacrement clôturant la fête du jour, j'avais reçu, intérieurement, l'assentiment du Bon Pasteur.

Le soir même, j'écrivis au Père Abbé à Beuron ; il se trouvait à Rome et, par crainte de la censure, j'attendis son retour pour expédier ma lettre. L'assentiment requis pour entreprendre les premières démarches me parvint vers la mi-mai et je les commençai immédiatement, par l'intermédiaire d'une amie de ma catéchumène de Cologne, Mlle C... Celle-ci, connaissant mon attrait pour la spiritualité carmélitaine, m'avait confié combien elle-même était attachée à cet Ordre. Elle se trouvait en relation très étroite avec le Carmel de Cologne.

Je pris rendez-vous avec elle, sans toutefois lui indiquer de raisons ; mais dès les premiers mots de l'entretien, je lui dis mon désir d'entrer au Carmel, ainsi que les difficultés qui m'apparaissaient. C'était : mon âge, j'avais quarante-deux ans ; mon origine juive, et l'absence de toute fortune personnelle.

Elle n'en sembla pas impressionnée, et me donna l'espoir d'être admise au Carmel de Cologne, en vue d'une fondation qui se préparait pour Breslau. Cette fondation qui allait être érigée dans ma ville natale me parut un nouveau signe du ciel.

Je donnai à Mlle C... suffisamment d'indications sur ma vie passée pour qu'elle puisse se faire une opinion sur ma vocation. Elle me proposa de l'accompagner aussitôt au Carmel. Elle y connaissait surtout la sœur Marianne (comtesse Praschma) qui se trouvait chargée de la future fondation. Tandis qu'elle montait au parloir, j'allai à la chapelle et m'agenouillai tout près de l'autel de la sainte petite Thérèse. Je me sentis comme environnée de paix, la paix de celle qui touche au port.

La conversation se prolongeait, et lorsque Mlle C... me fit appeler, elle dit simplement : « Je crois bien qu'il y a de l'espoir ! »

Elle avait causé avec sœur Marianne et la mère Prieure et m'avait préparé la voie. Mais, l'heure des parloirs étant écoulée, je fus invitée à revenir après vêpres. Il va sans dire que j'étais de retour dans la chapelle bien avant l'heure. Lorsque je fus appelée au parloir, la mère Prieure (mère Josèphe) ainsi que la mère sous-Prieure et maîtresse des novices (mère Thérèse-Renée du Saint-Esprit) se trouvaient à la grille.

Une fois encore, j'ai dû rendre compte du chemin que la grâce m'avait fait parcourir. J'affirmai que jamais le désir du Carmel n'avait cessé de me solliciter. J'avais vécu huit années chez les Dominicaines enseignantes de Spire, leur étant profondément unie, sans songer à entrer dans leur Ordre. Je considérais Beuron comme « l'antichambre du ciel », mais l'idée de me faire Bénédictine n'avait pas effleuré mon esprit. *Toujours il m'avait semblé que le Seigneur me réservait une part au Carmel, une part que je ne pourrais trouver ailleurs.* Cette déclaration fit impression sur les sœurs.

Cependant, la mère Thérèse-Renée exprima le scrupule que se faisait la Communauté d'attirer hors du monde une personne qui semblait susceptible d'y rendre de grands services...

Enfin les sœurs me congédièrent, me demandant de revenir au moment de la visite du père Provincial, celle-ci paraissait imminente. Je repartis donc pour Munster. L'attente se prolongeant, je me sentis poussée à écrire à la mère Prieure au temps de Pentecôte. Je la suppliai de me donner un réponse, de ne pas me laisser dans une incertitude très pénible...

La mère me fit alors revenir à Cologne. Elle m'invita à résider au Carmel du 18 au 19 juin, m'annonçant qu'elle m'avait ménagé une entrevue avec le supérieur du monastère : Mgr Lenné.

Ce jour-là, après vêpres, je fus examinée par les sœurs du chapitre au parloir. Il me fallut même chanter devant elles, ce que je fis presque à voix basse, plus intimidée que si j'avais dû adresser la parole à un millier d'auditeurs.

La mère Prieure me dit que le vote du chapitre étant fixé au lendemain, il me faudrait repartir, cette fois encore, sans réponse. Mais sœur Marianne, qui me vit en particulier, me promit de m'envoyer une dépêche. Celle-ci me parvint le lendemain, m'apportant l'assentiment joyeux de la Communauté. Après l'avoir lue, j'allai à la chapelle et je remerciai Dieu.

Nous avions prévu la suite des événements. Jusqu'au 15 juillet je devais liquider toutes mes affaires privées, pour pouvoir passer, le 16 juillet, la fête de Notre-Dame-du-Mont-Carmel avec la Communauté et demeurer un mois au « Tour » du Carmel de Cologne, comme invitée... Vers la mi-août je retournerais à la maison, faire mes adieux, afin d'être libre pour entrer en clôture le 15 octobre, jour de la fête de sainte Thérèse. Dans l'avenir je serais sans doute envoyée en Silésie, à la fondation de Breslau. Six grosses caisses de livres prirent avec moi le chemin de Cologne. Sœur Ursule fut chargée de les ranger et se donna bien du mal en les déballant, afin de les classer en bon ordre. Les titres étaient inscrits sur chaque caisse : théologie, philosophie, philologie... j'avais joint des listes composées avec grand soin. Mais en fin de compte tous ces livres furent mélangés.

J'avais écrit à la maison que les sœurs du Carmel de Cologne avaient accepté de me recevoir et que j'irais chez elles en octobre et l'on me félicita, comme s'il s'agissait d'un nouveau poste d'enseignement.

Le mois passé au Tour fut une période heureuse.

Je suivais le règlement des sœurs, travaillant durant les temps libres, souvent je voyais au parloir la mère Josèphe pour lui poser toutes les questions qui me traversaient l'esprit. Les réponses qu'elle me faisait étaient toujours celles que je sentais en moi-même ; et cet accord intime me rendait joyeuse.

Ma catéchumène venait me voir, elle désirait être baptisée avant mon départ pour Breslau afin que je sois sa marraine. Mgr Lenné la baptisa donc le 1ᵉʳ août à la cathédrale et lui donna la communion, le lendemain, dans la chapelle du Carmel.

Le 10 août je retrouvais le Père Abbé Walzer, il me bénit et bénit par avance la douloureuse étape de Breslau. C'était à Trèves, et après un rapide pèlerinage avec ma filleule au sanctuaire de « Maria Laach », pour la fête de l'Assomption, je repris le train vers Breslau.

Ma sœur Rose m'attendait à la gare. Comme elle faisait déjà partie de l'Eglise par le désir et que nous étions intimement liées, je lui dis aussitôt mes projets. Elle n'en parut pas étonnée, cependant elle-même n'avait rien deviné.

Ma mère souffrait beaucoup de la tournure prise par les événements politiques. Elle était surexcitée, et revenait sans cesse au problème que posait pour elle l'existence de « gens si méchants ». Un souci d'ordre personnel venait s'ajouter encore à la tristesse des temps. Ma sœur Erna avait dû accepter de quitter la maison pour habiter un autre quartier de la ville afin d'y reprendre à son compte la clientèle d'une amie médecin, qui était partie s'établir en Pales-

tine avec toute sa famille. Erna, son mari et les enfants étaient
une joie et une consolation pour maman, et elle ressentit vivement
leur départ.

Cependant elle parut revivre dès mon arrivée. Quand elle revenait le soir du magasin, elle aimait à s'asseoir, pour tricoter, près
du bureau où je travaillais et elle me faisait partager tous ses
soucis : ceux de notre famille, ceux de nos affaires. Je lui faisais
raconter de vieux souvenirs du passé, dans l'intention d'écrire
une Histoire de notre famille [8]. Ma présence contribuait visiblement
à l'épanouir. Et je pensais en moi-même : si tu savais...

Un jour, ma sœur Erna, que j'aidais dans son déménagement,
me posa enfin la question cruciale : « Que vas-tu faire à Cologne ? »
A ma réponse, elle pâlit et me dit, les larmes aux yeux : « Ce qui
est terrible dans la vie, c'est que ce qui rend les uns heureux représente pour les autres la pire des catastrophes... »

Elle n'essaya pas de me dissuader, elle se contenta de me dire,
de la part de son mari, que celui-ci m'avait invitée à vivre sous
leur toit et à partager leur subsistance aussi longtemps qu'il leur
resterait quelque chose. (Mon beau-frère de Hambourg m'avait fait
une semblable proposition.)

Le premier dimanche de septembre, j'étais seule à la maison,
près de ma mère. Elle était assise devant la fenêtre, son tricot à
la main et j'étais toute proche d'elle. Soudain la question longtemps
attendue monta à ses lèvres : « Que vas-tu faire, au juste, près des
sœurs de Cologne ? »

— Partager leur vie.

Maman eut un mouvement de recul désespéré ! Elle continua
de tricoter mais laissa échapper une partie des mailles de son
ouvrage. Tandis qu'elle essayait de les rattraper d'une main trem-
blante et que je tentais de l'aider, je sentis un abîme se creuser
entre nous...

De ce jour, la paix disparut.

Une atmosphère pesante oppressait la maison. De temps à
autre, maman faisait une scène violente, bientôt suivie d'une crise
de désespoir silencieux.

Ma nièce, Erika, la plus « judaïsante » de la famille, se croyait

---

8. Le manuscrit de l'Histoire de la famille Stein se trouve aux
Archives Husserl à Louvain ; la sœur d'Edith, Mme Biberstein n'en
possède que les premiers chapitres qu'elle a pu emporter en quittant
l'Allemagne pour les Etats-Unis, du vivant d'Edith.

tenue d'essayer de me faire revenir sur ma décision. Et lorsque ma
sœur Erna revint à la maison, pour l'anniversaire de maman, ce
fut pire encore ! Tandis que maman, laissée à elle-même, parvenait
habituellement à se dominer et à garder son calme, ses conversations avec Erna augmentaient son état de surexcitation et d'indignation. Ma sœur me racontait ensuite ces explosions de colère,
pensant que j'ignorais combien notre mère était à bout...

Sœur Marianne (se trouvant à Breslau pour la fondation) avait
vu maman en particulier. Mais leur conversation fut sans effet.
Maman avait vainement essayé de persuader la sœur de me faire
changer d'avis ; quand elle vit qu'elle ne devait pas y compter,
elle refusa de se laisser consoler. Sœur Marianne n'a pas davantage cherché à m'encourager dans ma résolution. La décision était
si grave, si lourde de conséquences, qu'il n'était au pouvoir de
personne de m'indiquer avec certitude quel chemin prendre. D'un
côté comme de l'autre, on pouvait invoquer d'excellentes raisons.
J'ai dû franchir le pas seule et totalement plongée dans la nuit de
la foi. Souvent, au cours de ces semaines si rudes, je me suis
demandé laquelle de nous deux, de maman ou moi, y laisserait
la santé. Mais nous avons tenu bon l'une et l'autre jusqu'au dernier
jour.

Mon beau-frère Biberstein vint me trouver à la veille de mon
départ. Il ne pouvait pas me cacher son point de vue : il n'arrivait
pas à comprendre. Mon entrée au couvent, *au moment précis où
les Juifs souffraient persécution,* lui semblait causer une rupture
entre notre peuple et moi. Le point de vue tout différent auquel
je me plaçais lui échappait entièrement...

Ma dernière journée à la maison, le 12 octobre, tombait un jour
faste. C'était, pour les Juifs, la clôture de la fête des tabernacles,
c'était aussi mon anniversaire de naissance. Ma mère se rendit à
la synagogue et je l'accompagnai. Nous voulions passer cette journée dans la plus grande intimité possible. Il y eut un beau sermon
du rabbin. A l'aller, nous avions pris le tramway et peu parlé.
Au retour, maman voulut faire le chemin à pied. Il fallait bien
compter trois quarts d'heure de route et elle était âgée de quatre-
vingt-quatre ans. Je lui dis, pour la consoler un peu, que mes
premiers mois au Carmel seraient une période d'essai. Mais elle me
répondit :

— Si tu as décidé de faire l'essai de cette vie, c'est que tu
entends persévérer...

Elle me demanda :

— Le sermon n'était-il pas beau ?

— Mais si.

— On peut donc être pieux, tout en restant Juif ?

— Certainement, si l'on ne connaît pas autre chose.

— Pourquoi donc as-tu appris autre chose ? dit-elle avec désespoir, et elle ajouta : je n'ai rien contre lui... Il se peut qu'il ait été un homme très bon. Mais pourquoi s'est-il fait semblable à Dieu ?

Après le déjeuner, selon son habitude, elle se rendit au magasin. Mais elle en revint bientôt, pour rester avec moi. Généralement elle y passait la journée.

Beaucoup de proches et de parents sont venus, durant l'après-midi et la soirée, avec leurs enfants, ainsi que quelques-unes de mes amies. C'était mieux ainsi, cela créait une diversion. Mais tandis qu'ils prenaient congé, les uns après les autres, l'atmosphère familiale s'appesantissait. A la fin, maman et moi sommes restées seules dans la pièce. Mes sœurs étaient occupées à ranger et à faire la vaisselle. Elle s'assit alors, sa tête entre ses mains et commença à pleurer. Je me glissai derrière sa chaise et, prenant cette précieuse tête aux cheveux blancs entre mes mains, je la serrai contre mon cœur... Nous sommes restées ainsi, longtemps, jusqu'à ce que sonnât l'heure du coucher. Je conduisis maman à sa chambre et, pour la première fois de ma vie, je l'aidai à se déshabiller. Ensuite je m'assis sur son lit... enfin elle m'envoya me reposer. Ni l'une ni l'autre nous n'avons dormi cette nuit-là.

Mon train partait à 8 heures. Elsa et Rose m'accompagnaient. Erna aurait voulu venir, elle aussi, mais je lui avais demandé d'aller plutôt à la maison pour prendre soin de maman. Je savais qu'elle était celle d'entre mes sœurs qui la consolerait le mieux. Nous étions les plus jeunes, Erna et moi, et nous avions gardé avec maman nos habitudes de tendresse enfantine... les aînés n'osaient plus ! bien que leur affection fût aussi grande que la nôtre.

A cinq heures et demie j'allai, comme d'habitude, à la première messe. Ensuite, nous nous sommes retrouvées autour de la table du petit déjeuner. Erna arriva vers sept heures. Maman essaya de prendre quelque chose, mais elle repoussa bientôt sa tasse et se mit à pleurer comme la veille. Je m'approchai d'elle et la tins serrée entre mes bras jusqu'à l'heure du départ.

A ce moment je fis signe à Erna de me remplacer. J'allai dans une pièce voisine mettre mon manteau et mon chapeau. Puis ce furent les adieux.

Maman m'embrassa très tendrement. Erika me remercia de l'avoir aidée dans ses travaux et me dit : « Que l'Eternel soit avec toi. »

Au moment où j'embrassai Erna, maman se mit à pleurer tout haut. Je sortis rapidement, accompagnée de Rose et d'Elsa.

Personne ne se penchait par la fenêtre pour faire signe, comme d'habitude.

Il fallut attendre un peu à la gare, jusqu'à l'arrivée du train. Après être montée en voiture, et avoir trouvé une place, je me mis à la fenêtre. La différence d'expression de mes sœurs me frappa vivement : Rose était aussi calme que si elle devait me suivre dans la paix du cloître ; tandis que, sous le coup de la douleur, le visage d'Elsa paraissait celui d'une vieille femme.

Enfin, le train se mit en route, mes deux sœurs agitèrent leurs mouchoirs sur le quai, le plus longtemps possible. Puis tout disparut. Je pus me renfoncer dans mon coin, pensant en moi-même : Est-ce donc bien vrai ? Je n'osais presque pas y croire. Certes, il ne s'agissait pas d'une explosion de joie intérieure. Ce que je laissais derrière moi était par trop douloureux et terrible. Mais j'étais en paix, profondément. J'avais atteint le port : celui de la volonté de Dieu.

J'arrivai à Cologne, tard dans la nuit. Je passai cette nuit chez ma filleule, devant entrer en clôture le lendemain après vêpres. Dès le matin je m'annonçai par téléphone au Carmel, et je fus conviée au parloir une dernière fois, pour voir les sœurs.

Sitôt le déjeuner, nous étions de retour dans la chapelle du Carmel, où nous avons récité les premières vêpres de sainte Thérèse en même temps que la Communauté. Après vêpres, ma filleule et moi avons pris un peu de café. On m'apporta une grande gerbe de chrysanthèmes blancs, un cadeau des professeurs de Cologne, et je pus admirer les fleurs à loisir avant qu'elles ne soient disposées sur l'autel.

Puis survint une dame inconnue. Elle demanda laquelle de nous deux étaient la « postulante ». Elle était venue pour l'aider et lui prodiguer ses encouragements. (C'était la sœur de la mère Thérèse-Renée.)

De fait, je n'avais guère besoin d'être réconfortée...

Cette aimable personne et ma filleule m'ont accompagnée jusqu'à la porte de clôture.

Celle-ci s'ouvrit enfin devant moi et je franchis, dans une paix profonde, le seuil de la maison du Seigneur.

LETTRE DE MONSEIGNEUR STEFFES
EVOQUANT LE PASSAGE D'E. STEIN A L'INSTITUT
PEDAGOGIQUE DE MUNSTER

*Le mémoire d'Edith Stein se trouve complété par ces pages où
Mgr Steffes, ancien directeur de l'Institut de Munster, évoque pour
nous la période précédant la destruction de son établissement par
les Nazis.*

*Sans doute la seule existence d'une institution chrétienne, pla-
çant au premier plan la liberté de l'esprit, constituait-elle une
atteinte à l'Etat totalitaire.*

*Mgr Steffes fit venir Edith Stein à Munster en 1932. Malgré
ses dons exceptionnels et sa renommée publique, elle occupait alors
un modeste poste de professeur des classes supérieures d'un lycée
de jeunes filles de Worms. Elle avait vainement tenté d'obtenir
une chaire à la Faculté de philosophie de Fribourg-en-Brisgau. Ses
démarches avaient échoué, en partie à cause de ses origines juives,
en partie à cause de ses convictions catholiques.*

*Mgr Steffes voulait lui offrir un champ d'action plus vaste. Il
désirait aussi faire bénéficier l'Institut pédagogique des ressources
de son intelligence et de ses dons d'éducatrice. Edith accepta son
offre avec reconnaissance. D'abord chargée de la formation chrétienne d'une élite féminine, elle donna bientôt une série de leçons
sur son thème favori : le développement de la personne humaine, à
la lumière de la foi et de la philosophie traditionnelle. Nous lais-
sons la parole à Mgr Steffes :*

Elle remplissait sa tâche silencieusement, avec si grande réserve
et modestie, que sa présence passait inaperçue. Avec le temps,
son action s'étendit bien au-delà de l'Institut. La profondeur et la
force de son influence n'ont été distinctement perceptibles que
plus tard, lorsqu'elle n'était plus parmi nous. Les causes en sont
multiples et j'essaierai d'en dire quelque chose, pour autant que
l'on puisse porter un jugement du dehors.

Sans doute était-ce d'abord la seule présence de Mlle Stein, sa
simple existence, avec cette richesse d'humanité chrétienne, ardente,
lumineuse, et mystérieusement rayonnante. Puis ce don qui lui
était propre de poser les problèmes en profondeur : son analyse
des phénomènes ouvrait à ses auditeurs des perspectives lointaines

et captivantes. De plus, il suffisait de l'entendre pour reconnaître qu'elle donnait, à chacun des termes employés, leur sens fort, qu'elle parlait avec une intime conviction, qu'elle mettait en pratique son enseignement. Pour ses élèves, elle était un témoignage vivant, un guide vers la vérité et la sagesse ; pour ses collègues, une compagne joyeuse, entièrement disponible, toujours intéressante et unanimement respectée. J'ajouterai que la ténacité de sa volonté, pour obtenir une chose qui lui semblait nécessaire et propre à promouvoir un bien spirituel, était tout à fait remarquable.

Afin de lui permettre d'étendre son rayonnement, je lui donnais volontiers la parole les jours de fête, lorsque nous tenions de larges assemblées, ainsi pour le jubilé de Goethe. Le résultat de mon initiative fut en partie décevant, car le grand public paraissait dérouté par sa manière, simple et directe, mais tous ceux qui savent écouter ne manquaient pas d'être saisis par la clarté de son exposé.

Elle fut envoyée par l'Institut au congrès de Juvisy, en France, et me fit part, au retour, de sa joie d'avoir pu rencontrer personnellement d'éminents philosophes français.

Elle taisait sa vie intérieure. Il fallait la deviner, ou la découvrir indirectement. Car la discrétion, le respect pour le secret d'une âme, prévenaient bien entendu toute interrogation sur ce point. Mais qui observait son comportement quotidien, lisait ses écrits, assistait à ses cours, accédait à une compréhension plus profonde de sa vie. Et sans doute une conversion échappe-t-elle toujours plus ou moins aux essais d'analyse, prenant racine dans le mystère même de Dieu.

Il faut donc nous borner à noter quelques aspects secondaires. Ainsi, le respect et la gratitude qu'elle portait à son maître, le philosophe juif Husserl, et réciproquement, l'estime et l'amitié indéfectibles de Husserl pour elle. Il est certain que l'analyse des phénomènes de l'esprit avait découvert à cette âme, grande, largement ouverte, des voies qui demeuraient invisibles au maître et sur lesquelles celui-ci n'osa pas s'engager à la suite de son élève.

Quant aux forces plus profondes et mystérieuses, qui opéraient en l'âme d'Edith à cette lumière de la grâce divine qui descendait en elle, pour la clarifier intérieurement, on pouvait en pressentir quelque chose en la regardant prier.

Oraison solitaire et silencieuse, ou bien simple assistance aux offices, son attitude trahissait un abandon, une intériorisation, un ravissement en Dieu, qui demeuraient inoubliables pour ceux qui ont été les témoins de sa prière.

Hélas, sa présence à l'Institut devait être brève. Son temps était compté. Lorsque je revins à Munster d'un voyage d'études dans le Proche-Orient, à Pâques, en 1933, des nouvelles désagréables et douloureuses m'attendaient. L'une des pires me parut l'ordre donné par les Nazis, qui s'étaient saisis de la direction en mon absence, de congédier Mlle Stein, à cause de son ascendance juive.

Je trouvai Mlle Stein l'âme en paix, parfaitement calme. Elle possédait une force intérieure contre laquelle les événements extérieurs venaient se briser. Elle me dit en souriant, comme je lui exprimais les regrets de l'Institut et mon profond chagrin : « Vous aussi, vous me suivrez bientôt ! »

De fait, l'année d'après ce fut mon tour. Puis vint l'anéantissement de l'ensemble de l'Institut. En effet, l'influence de notre maison s'étendait à travers l'Allemagne et au-delà de ses frontières, grâce à notre vaste bibliothèque, nos organismes d'étude spécialisés, nos communautés de travail et fondations. Cette institution presque entièrement réalisée grâce aux dons et aux initiatives privés, sans aucune contribution de l'Etat, parut bientôt à celui-ci une dangereuse menace. Ainsi les Nazis ont-ils détruit une grande œuvre, à l'élaboration de laquelle ils n'avaient pas eu part et qu'ils se montraient incapables de remplacer.

Mlle Stein était sans illusion quant à l'esprit qui suscitait une telle action. Elle avait dès l'origine reconnu l'inspiration démoniaque, qui, dissimulée d'abord sous les mensonges, devait éclater au grand jour dès que le succès parut acquis.

Sans haine ni désespoir au cœur, Mlle Stein se soumit à son lourd destin. Elle s'acheminait vers des souffrances indicibles. Certaines étapes de son calvaire nous sont connues, mais nous ne saurions en mesurer l'atrocité.

Cette époque fut celle du plein épanouissement des forces les plus nobles et profondes de son être. Elle y gagna une vue très haute des choses, dont elle nous a laissé de remarquables aperçus (dans le domaine philosophique et religieux) pour notre bénéfice et celui des générations à venir.

Puis son entrée au Carmel se précipita. Elle y trouva le climat favorable à son âme, là devait s'accomplir son ultime transformation.

Cependant le temps de sa persécution et de son exil ne doit pas être considéré du seul point de vue de son avancement personnel. Il servit à préparer le rayonnement futur de son œuvre. Et son bref séjour à Munster laissera des traces si profondes qu'elles ne seront révélées qu'après sa mort.

Johann Peter Steffes, Munster, avril 1953.

TEMOIGNAGE QUE
LE PERE ABBE DE BEURON, DOM RAPHAEL WALZER,
PORTA SUR EDITH STEIN APRES SA MORT [9]

Vous me demandez de porter témoignage sur celle qui maintenant est de retour à la « Maison ». Je vous ferai remarquer que la tâche n'est pas facile. Je n'ai pas l'intention de vous dévoiler les secrets de conscience de cette femme modeste. Notre correspondance était restreinte et je n'ai pas conservé de lettres. Enfin, sa vie intérieure était simple et sans détours. De nos conversations il ne me reste que le souvenir d'une âme toute mûre, toute clarifiée.

Quand elle vint à Beuron, pour la première fois, elle n'était plus d'aucune façon un « nouveau-né ». Elle portait en elle tant de richesses que, lorsqu'elle eut découvert en ce lieu de prière caché au bord du Danube sa vraie patrie spirituelle, elle n'eut rien à apprendre ni à changer dans son comportement pour y vivre à l'aise. Le temps semblait venu de moissonner dans cette âme ce que d'autres y avaient semé, ce qu'elle-même avait soigneusement cultivé dans la meilleure des terres...

Je ne saurais définir ce qui l'attirait si fortement vers Beuron, vers la célébration de l'office liturgique. Ce n'était sûrement pas sa longueur solennelle, bien que l'endurance personnelle d'Edith ne connût guère de limites. Elle passait sans peine toute la journée du vendredi saint — de l'aube à la nuit tombée — dans l'église abbatiale.

Ce faisant, elle se conformait simplement aux habitudes ascétiques d'une rigoureuse éducation juive. L'idée d'accomplir une

---

9. Ce témoignage de dom Walzer, cité, C, pp. 150 et suivantes, a été revu et complété pour nous par son auteur.

« performance » lui demeurait aussi étrangère que celle de rejeter
le sacrifice pour rechercher plus commodément les consolations
sensibles et les joies spirituelles. Elle ne désirait pas les grâces
extraordinaires ou les extases. Ni son intelligence ni sa sensibilité
n'y étaient portées. Elle voulait simplement se tenir là, près de
Dieu, comme si sa présence dans ces lieux consacrés lui assurait
une proximité avec les mystères de la foi qu'elle ne pouvait trouver
au-dehors.

Je ne pense pas qu'elle ait éprouvé le besoin de nourrir
sa prière de nombreux textes liturgiques, ni qu'elle se soit livrée
à de savantes exégèses ou à des méditations compliquées. Sans
doute d'innombrables pensées allaient et venaient de son âme à
Dieu, comme sur une échelle de Jacob animée par des messagers
célestes. Aux désirs brûlants répondaient des résolutions magna-
nimes. Comme son corps, fixé en une immobilité quasi totale, son
esprit aussi demeurait paisible dans la contemplation aimante de
Dieu, dans la joie du Seigneur. C'était une heureuse convertie,
toujours dans l'action de grâces d'avoir retrouvé sa mère, l'Eglise.
Et durant la récitation de l'office, dont elle était à même de scruter
la beauté et la profondeur dogmatique, elle s'unissait à la grande
prière de l'Eglise.

Elle contemplait le Christ, tête du Corps Mystique, se tenant
devant le Père en une prière ininterrompue ; ainsi la vie surnaturelle lui paraissait devoir résider en premier lieu dans la prière
de louange de l'Eglise, qui répond au conseil de l'Evangile de
« prier sans cesse ».

Cette invitation à la prière, elle l'avait reçue dans toute sa
plénitude. Aussi nul office ne lui semblait trop long, nul effort
trop dur, quand il s'agissait de joindre sa voix à la « laus perennis ».
Il ne lui venait pas à l'esprit d'accomplir un « sacrifice méritoire »,
mais simplement sa fonction normale de croyante.

En un sens, il semblait que la forme liturgique, austère par ses
longueurs comme par ses raccourcis, était devenue pour elle une
nourriture indispensable. Pourtant lorsqu'il s'agit de choisir définitivement le Carmel, elle renonça sans difficulté à cette forme
de prière et à la possibilité d'y participer. Pour moi, je n'ai pas
même essayé de lui proposer d'entrer chez les Bénédictines. Humainement parlant, elle aurait été une remarquable fille de saint Benoît.
Mais elle s'est contentée de prendre comme second nom de religion
celui du saint Patriarche : sœur Thérèse-Bénédicte. Des âmes
comme la sienne, une fois saisies par l'esprit d'absolu, peuvent se

permettre d'embrasser une forme de vie religieuse plus « singulière », où le désir éveillé en elles sous le souffle de l'Esprit-Saint ne cessera de les solliciter.

La beauté même de la seule et sévère liturgie n'était pas décisive pour son esprit ni pour son cœur. La forme, l'expression, tenaient certes une grande place dans son langage, sa manière d'être, ses travaux. Elle, dont le vêtement et l'apparence avaient tant de simplicité, dont le visage plein et régulier trahissait un sens profond de l'harmonie, comment ne se serait-elle pas complu dans la beauté de la louange liturgique ? Oui, mais rien d'humain ne venait entraver sa prière. Ni les parties peu artistiques de l'église abbatiale ni d'autres formes d'imperfections qui, étant donné sa culture étendue, auraient pu la gêner, n'étaient en mesure de la troubler. La conception esthétique de « l'art pour l'art » n'a jamais effleuré son esprit, ni entamé sa prière. Nous avons à peine parlé de ces sujets, qui faisaient alors l'objet de discussions passionnées en certains milieux intellectuels. Ces problèmes ne l'atteignaient pas, elle se tenait à un autre plan.

Dans ces dispositions, il ne lui fut pas difficile de prendre la décision d'entrer au Carmel.

Cependant personne ne voyait mieux qu'elle combien de goûts — propres à une nature intellectuelle et raffinée — elle devrait sacrifier pour s'accorder à la note de pauvreté et de simplicité spécifique du Carmel. Mais elle n'en dit jamais rien, pas même à celui auquel, spontanément, elle confiait ses secrets intimes.

Il semblait donc inutile de la préparer au renoncement, dans le sens où l'entend la règle de saint Benoît, lorsqu'elle commande au maître des novices de présenter à l'aspirant tout ce qui est de nature à le rebuter et le décourager, afin d'éprouver sa vocation !

Elle entra au Carmel comme un enfant qui va se jeter, joyeux et chantant, dans les bras de sa mère ; et la pensée de regretter son geste n'a jamais par la suite traversé son esprit.

Saint Benoît a défini cet élan en ces termes : « Il nous faut courir maintenant et accomplir tout ce qui peut avoir valeur d'éternité. »

Contrairement à ce que certains ont pu penser, je suis en mesure de vous affirmer qu'elle n'a pas renoncé à la liturgie bénédictine, en faveur du dépouillement carmélitain, pour des raisons d'ascèse rigoureuse, ou encore pour mourir à elle-même, en des combats chaque jour renouvelés. Non, elle a d'ailleurs peu hésité. Elle aimait le Carmel de longue date et son désir était d'y entrer. Elle a simplement réalisé ce vœu dès que les conditions de vie du Troisième Reich ne m'ont plus permis de la retenir dans le monde. Elle a entendu la voix du Très-Haut, et suivi son appel, sans trop chercher à savoir où menait le chemin.

Aujourd'hui, vingt ans après notre dernière rencontre, j'aurais trouvé près d'elle, j'en suis sûr, une pleine compréhension pour la forme de vie religieuse plus dépouillée à laquelle m'ont conduit les années de guerre et d'exil. Tout ce qui était beau et grand la réjouissait. Elle allait d'instinct vers la vérité pure, libre de compromis, elle négligeait l'accessoire. Elle distinguait avec une intuition maternelle et entourait de sa sollicitude tout ce qui était authentique et destiné à porter du fruit dans le royaume de Dieu.

Il m'incombait enfin de préparer la future Carmélite à une difficulté d'adaptation qui me semblait devoir l'attendre. Mais je remarquais bientôt qu'elle n'y attachait aucune importance. Il était inutile d'insister. Pourtant si quelqu'un m'a paru mériter à bon droit et au sens plénier du terme le qualificatif « d'intellectuelle », c'est elle ! Bien qu'elle n'eût pas songé à s'attribuer ce titre. Or, la grande sainte Thérèse n'a pas établi de distinction entre les sœurs. Restreintes en nombre — elles sont généralement vingt et une —, elles mènent leur vie religieuse dans une sorte d'égalité. Il est certain qu'Edith n'a pas choisi le petit Carmel de Cologne dans l'espoir d'y trouver une prieure érudite, ou un groupe de sœurs cultivées. Autant que j'ai pu le savoir, elle était la seule intellectuelle et elle s'est faite rapidement la dernière entre toutes. Quant à se demander si elle serait autorisée à poursuivre ses travaux, ou si, par obéissance, elle devrait y renoncer définitivement, elle n'y a pas songé. Elle s'est gardée de chercher une assurance en ce domaine, comme dans tous les autres. Elle n'a pas davantage permis à ses amis d'intervenir auprès des supérieurs de son Ordre, pour obtenir qu'elle puisse reprendre ses recherches.

Son désir, unique et pur, était de disparaître : de se perdre dans le *Carmel*. Pas l'ombre d'une arrière-pensée n'est venue ternir la beauté de son geste. Pourtant il est difficile de mesurer ce qu'un tel changement de vie représentait pour un esprit comme le sien, toujours avide de comprendre davantage et d'approfondir la connaissance.

Quant à moi, cette vie de chaque jour parmi des novices et de nombreuses converses, dans une étroite clôture, à l'intérieur d'un couvent peu spacieux, situé en pleine ville, me paraissait un exploit impossible, même pour une âme aussi radicalement absolue que la sienne.

Mais je me trompais complètement.

Ici je dois faire un aveu : je ne souhaite rien davantage aujourd'hui que le retour à une vie monastique unifiée, sans différences marquées entre pères et frères convers. Ce qui m'apparaissait encore un problème au moment de l'entrée d'Edith au Carmel, les années d'épreuve et de pauvreté m'ont appris à le dépasser. Pourquoi ne pas donner, en effet, aux moines et aux moniales, qui aspirent au don total, une formation commune, sans distinction de catégories ? Ici aussi, notre Carmélite m'a précédé. Elle était en avance sur son époque, en se donnant sans réserve aux plus humbles tâches, elle mettait tout simplement en pratique ce qui ferait l'objet d'une réforme moderne. Que Dieu soit béni qui lui a révélé comment nous devions nous efforcer de devenir *un, en vérité !*

Lorsque j'ai pu la revoir seule, le jour de sa prise d'Habit (ce fut notre dernière rencontre), je la pressai de me dire en toute franchise comment elle s'habituait à la compagnie des sœurs et à sa nouvelle direction spirituelle. Elle m'affirma qu'elle se sentait à l'aise de cœur et d'esprit et comme « chez elle ». Elle me fit cette réponse avec toute l'ardeur de sa nature de feu.

Je dois dire qu'en sa présence je n'étais pas même tenté d'invoquer un prodige de la grâce. Non, tout cela paraissait parfaitement simple et naturel, c'était comme l'épanouissement visible de sa maturité spirituelle.

C'est ainsi que je me représente son amour de la Croix et son désir du martyre. Non pas comme une attitude consciente de son esprit, concrétisée par certaines prières ou par des aspirations bien définies ; mais plutôt *comme une disposition profondément enracinée dans son cœur de suivre partout le Seigneur.*

Je ne pense pas qu'elle ait laissé s'écouler à dessein les délais fixés à son départ pour la Suisse, afin d'encourir volontairement des représailles atroces. Elle aurait certainement accepté de s'exposer à la mort, mais par une humble obéissance. Elle ne semble pas davantage s'être préoccupée d'assurer sa fuite. Elle a été conduite en ces événements par une sainte indifférence, un complet abandon à la volonté divine.

Nous n'entendons pas ici préjuger des décisions de l'Eglise à son sujet. Qu'elle soit ou non élevée sur les autels, une chose demeure vraie pour toujours :

Son exemple, sa prière et ses travaux, son silence et sa souffrance, sa marche paisible vers les camps de la mort ne s'effaceront pas de la mémoire des hommes. Son témoignage dispense la force et la lumière. Il éveille en chacun de nous une aspiration profonde, qui nous pousse invinciblement vers les abîmes de la Foi, de l'Espérance et de la Charité.

TROISIEME PARTIE

LE FEU DE L'AMOUR

Le feu qui jamais ne dit : assez.

Prov., xxx, 16.

CHAPITRE XI

LE CARMEL

L'appel à la vie contemplative, Edith semble l'avoir reçu avec la grâce du baptême. Ses amis les plus intimes nous disent qu'elle ne cessa de penser au Carmel depuis sa conversion. Et dom Walzer fait cette simple constatation : « Dès qu'il me fut impossible de la retenir dans le monde, elle courut tout droit au Carmel, comme un enfant qui va se jeter joyeux dans les bras de sa mère. » Il ajoute que son attrait pour cet Ordre avait toute l'ardeur, toute la fraîcheur aussi, d'un premier amour.

A quelques semaines de son entrée, Edith, laissant déborder son cœur, écrivait à sœur Aldegonde :

« *In via,* nous le sommes ici aussi, car le Carmel est une haute montagne, qu'il s'agit de gravir jusqu'au sommet. Mais c'est une grâce trop grande que d'être en chemin, et je pense souvent dans la prière à celle qui voudrait bien prendre ma place. Aidez-moi à devenir digne de la grâce de vivre dans le sanctuaire le plus intime de l'Eglise ; aidez-moi à m'offrir pour ceux qui doivent lutter à l'extérieur. » (1933.)

Lorsqu'elle prit congé de ses amis, son visage rayonnait de joie à la pensée de franchir enfin le seuil du cloître, elle savait bien d'ailleurs qu'elle ne quittait les siens que pour les aimer et les servir davantage :

« Les services de charité fraternelle, je vous les rendrai maintenant d'une manière différente et toute silencieuse, écrit-elle, mais je pense que je vous aiderai davantage que par des paroles... [1] »

Humainement parlant, son départ laissait un grand vide. En cette période si trouble, la lumière de son intelligence, la force de son caractère, la tendresse de son cœur semblaient plus nécessaires que jamais dans le monde. Mais la pensée d'abandonner une partie de ses responsabilités, ou de fuir l'angoisse des hommes pour chercher une paisible et silencieuse retraite, était bien éloignée de son esprit. Elle s'était dévouée sans compter, servant Dieu en ses frères. Et voici que l'insatiable exigence d'une ardente charité la poussait à se livrer elle-même, sans plus rien réserver, au feu de l'amour divin. Longtemps, elle avait connu et partagé la quête des hommes avides de Dieu ; voilà qu'elle allait connaître et porter le poids de l'amour infini de Dieu pour les hommes.

De mon cœur a jailli un beau poème,
J'adresse mon chant au Roi... (Ps. 44)

Quelques notes de ce chant sont parvenues jusqu'à nous. Et d'abord la réponse toute simple qu'elle fit à la religieuse chargée de la former : « Ce ne sont pas les achèvements humains qui peuvent nous venir en aide, mais la Passion du Christ, mon désir est d'y prendre part [2]. » Enfin le court billet adressé à sa Prieure, le dimanche de la Passion de l'année 1939, où elle demande la permission de s'offrir à Dieu pour la paix du monde :

« Que Votre Révérence veuille bien me permettre de m'offrir au Cœur de Jésus, en holocauste pour la paix du monde. Que le règne de l'Antéchrist s'effondre, si possible sans une guerre mondiale, et qu'un ordre vraiment nouveau

---

1. A sœur Aldegonde, lettre du 11-1-1934.
2. *Nicht die menschliche Tätigkeit kann uns helfen, sondern das Leiden Christi. Daran Anteil zu haben ist mein Verlangen,* cité, C, p. 122.

soit établi. Je voudrais m'offrir ce soir encore, car c'est la douzième heure. Je sais que je ne suis rien, mais Jésus le veut. Nul doute qu'il n'adresse cet appel à beaucoup d'autres âmes en ces jours [3]. »

C'est bien le même chant, mais à l'accent d'ardeur inquiète des premières notes succède la tonalité plus grave, comme amplifiée et pacifiée, de l'accord final. Le cœur de l'épouse est devenu conforme par le désir à celui de l'Epoux-crucifié, elle sait, d'une science tout intime, que son oblation est voulue et acceptée.

Nous trouvons dans les lignes qui précèdent une clé de la vocation d'Edith Stein. Carmélite, elle semblait l'être dès avant son entrée au monastère, par son attrait pour la prière silencieuse et par son immense désir de sauver les âmes. Elle menait déjà dans le monde une vie très pauvre, toute cachée en Dieu. La douceur de sa présence paraissait un réconfort indispensable aux siens. Pourquoi donc cette ultime rupture ?

Afin de répondre à cette question il faudrait tenter de percer un peu le mystère même de la vocation du Carmel.

Les signes qui apparaissent au-dehors, comme la stricte clôture, l'austérité de la pénitence, la pauvreté, trahissent la vie d'une Carmélite plutôt qu'ils ne l'expriment. Ils disent bien le désir de dépouillement foncier, qui marque l'âme carmélitaine. Mais ils taisent la raison secrète de ce dénuement radical. Ils soulignent fortement la rupture de l'âme avec le monde visible, le goût du désert, mais ils ne révèlent pas la présence cachée au sein même du désert. Car le Carmel est une solitude pleine de Dieu. Si l'âme doit s'arracher à tout ce qui n'est pas Dieu, si le cœur doit porter la solitude et l'esprit s'enfoncer vivant dans la nuit, c'est en raison d'un choix divin.

Dieu ne creuse dans l'âme des capacités immenses et douloureuses, que pour les rassasier lui-même de la surabondance incompréhensible de son Amour. Il avait appelé Edith à

---

3. Billet du 26-3-1939, à la Mère Prieure du Carmel d'Echt, cité, C, p. 223.

recevoir dans le silence et le secret, avec Marie au pied de la Croix, ces torrents de grâce, qui ne cessent de couler de son Cœur divin, ouvert par la lance. A peine avait-elle pénétré, par le baptême et l'eucharistie, dans les insondables profondeurs du mystère d'un Dieu mourant en Croix pour sauver des hommes, inattentifs, sinon hostiles, au don de l'Amour infini, qu'elle s'était offerte spontanément à recevoir cet Amour rédempteur et à consoler ce Cœur blessé.

Elle avait dit « *oui* » par avance à son Seigneur, pour tout ce qu'il demanderait d'elle. Puis elle l'avait suivi, les yeux fermés, sans chercher à savoir où menait le chemin.

Dieu l'avait alors conduite au désert, pour lui parler au cœur. Il allait lui faire partager sa soif infinie de l'amour des hommes, creuser en elle le désir véhément de sauver le monde avec Lui. Ce désir, Il se réservait de l'exaucer en donnant à Edith de porter, par la force de son amour à Lui, le poids du salut de ses contemporains. Elle-même n'avait-elle pas noté dans son étude de la « Science de la Croix », en décrivant l'étape qui précède l'union transformante : « Celui qui, dans la certitude obscure de la foi, ne veut vraiment plus rien d'autre que ce que Dieu veut, celui-là est parvenu au degré le plus élevé qu'il soit possible à l'homme d'atteindre avec la grâce de Dieu. Sa volonté est totalement purifiée et délivrée de toute attache terrestre, elle est, par un libre don, unie au vouloir divin... Et cependant il manque encore à cette âme quelque chose de décisif pour l'union transformante et le mariage spirituel [4]... »

Ce quelque chose de décisif, cette part à la Croix du Sauveur, Edith le savait obscurément, Jésus se réservait de la lui donner au Carmel.

Librement, joyeusement, elle quitta un monde rempli d'amis et d'admirateurs, pour entrer dans le silence d'une vie cachée et sans apparences. Elle fut reçue par la Communauté comme n'importe quelle autre postulante, la plupart des sœurs ignoraient tout de son passé et de ses travaux. Dans sa simplicité, Edith ne sembla pas même s'en aper-

---

4. *Science de la Croix*, p. 148.

cevoir. Si elle avait voulu parler « philosophie », personne au monastère n'aurait été en mesure de suivre les développements de sa pensée. Mais elle n'y songea pas. Elle trouva tout naturel d'être initiée aux multiples détails de la vie de chaque jour et se plia sans mot dire aux innombrables petites choses qui auraient pu la dérouter. Elle y mettait tout son cœur et c'était touchant de voir le mal qu'elle se donnait pour suivre jusqu'au moindre point des usages et coutumes. En dépit de sa bonne volonté, ce n'était pas chose facile pour elle. Une sœur ancienne avait demandé au Chapitre si la postulante savait bien coudre. Eh bien non, Edith cousait fort mal et faisait preuve d'un grand embarras et de beaucoup de maladresse dans la plupart des menues besognes pratiques. Elle se montrait d'une incapacité désespérante pour les travaux d'intérieur. Mme Conrad-Martius nous renseigne à ce sujet :

« Je l'ai revue brièvement lorsqu'elle enseignait chez les Dominicaines de Spire, puis une autre fois à Heidelberg, venant de Breslau où elle vivait *très* pauvrement, sans doute déjà aussi près que possible de la règle du Carmel ; enfin au moment de sa Vêture au Carmel de Cologne et une fois encore un an plus tard à travers la grille.

« Elle m'a raconté alors comme il lui avait été difficile de s'accoutumer à tous les petits détails de la vie religieuse ; mais aussi combien elle était heureuse. Et la paix intérieure était inscrite sur son cher visage. Je ne l'ai jamais vue si bien qu'après son année de noviciat, ni avant, en personne, ni après en photo [5]. »

Edith aborda les difficultés quotidiennes avec résolution

5. Lettre du 19-7-1952.
Une lettre de sœur Aldegonde complète ces indications : « Oui, Edith était une sainte, et c'est pourquoi elle pouvait souffrir tout sans perdre l'équilibre. Je connais l'admirable Père Théodore (le Provincial). Il a reconnu d'un coup d'œil l'importance de cette vocation et il a donné des instructions afin qu'Edith reçoive les soulagements et dispenses nécessaires (sur le plan intellectuel). N'oubliez pas qu'Edith venait d'une famille juive « zélée », elle avait toujours soif des humiliations extraordinaires permises par les constitutions carmélitaines (26-11-1954).

et bonne humeur. C'était, pensait-elle, une excellente école d'humilité. Dans le monde, elle avait connu la louange et un respect allant parfois jusqu'à la vénération. Ici, personne ne songeait à admirer la nouvelle venue, qui s'était cependant gagné tous les cœurs par son amabilité rayonnante. Edith se garda bien de laisser paraître l'étendue de sa culture. Sans retour en arrière, sans effort apparent, elle entra paisiblement et joyeusement dans une vie toute nouvelle.

Les Carmélites, chassées de Cologne durant la période du *Kulturkampf*, étaient revenues dans la ville vers 1894. Elles avaient dû faire reconstruire un monastère et les bâtiments dataient d'environ quarante ans au moment de l'entrée d'Edith. Ils devaient être détruits par les bombardements aériens de 1944. Un petit jardin entourait le couvent, situé dans un faubourg de Cologne. La Communauté se trouvait alors au complet : dix-huit sœurs de chœur et trois sœurs converses. Edith ne put être reçue qu'en raison de la fondation de Breslau pour laquelle trois sœurs de Cologne étaient désignées. La Mère Prieure, sœur Josèphe du Saint-Sacrement, avait près d'elle, comme maîtresse des novices, la Mère sous-Prieure, sœur Thérèse-Renée du Saint-Esprit.

Edith trouva au Noviciat deux sœurs de chœur, professes temporaires et une sœur converse, novice. Chacune d'elles comptait une vingtaine d'années de moins qu'Edith, alors âgée de 42 ans. Mais la postulante s'adapta très naturellement à cette situation délicate, se comportant comme une grande sœur envers les plus jeunes, partageant leurs peines et leurs joies. Elle sut les intéresser au drame des Juifs, leur parlant parfois de sa famille dont l'avenir était sous la constante menace des mesures d'exception. Elle ne cherchait pas à dissimuler son attachement envers les siens. Source de joie, en récréation, elle savait merveilleusement raconter toute chose et possédait le don de faire naître, du moindre événement, une histoire passionnante.

Mais c'est la vie solitaire qui l'attirait profondément. Lorsqu'elle se vit pour la première fois dans sa cellule aux murs nus, blanchis à la chaux, sommairement meublée d'une paillasse, d'une table basse et d'un tabouret, elle fixa du regard la croix de bois au mur, puis le petit jardin paisible que l'on devinait par la fenêtre entrouverte et laissa paraître une immense joie.

En quelques semaines on la vit transformée, rajeunie de vingt ans. Visiblement épanouie, elle avait laissé à la porte du monastère toute sa science et sa sagesse, pour redevenir une enfant, parmi d'autres enfants.

Elle mangeait bien, dormait à ravir et débordait de gaieté ; trois qualités qui, selon sainte Thérèse, sont des signes de vocation authentique.

Les six mois de postulat furent vite passés. Sœur Bénédicte se préparait à la Vêture, d'un cœur paisible et débordant d'actions de grâces : « Lorsque je me retrouve dans le silence du chœur, écrit-elle, je ne puis assez remercier Dieu de m'avoir tirée des sentiers de l'erreur afin de me donner accès à sa paix. Me voici parvenue en ces lieux auxquels j'appartenais de longue date ! Et loin de moi la pensée d'en vouloir à ceux — (les Nazis) — qui bien involontairement m'ont ouvert la voie... [6] »

C'est en la fête du Bon Pasteur qu'Edith avait reçu l'assurance intime de sa vocation. Une année plus tard, exactement, elle revêtait l'Habit du Carmel. Celui *qui donne sa vie pour ses brebis* l'instruisait dans le secret de l'oraison, la préparant au sacrifice. Il nous semble trouver une trace de ce silencieux dialogue dans un petit opuscule d'Edith Stein : *le Mystère de Noël*, l'un des premiers écrits de la Carmélite.

Après y avoir rappelé que le chemin de Bethléem conduit au Golgotha, que les ténèbres du mal s'opposent à la lumière divine, elle insiste sur le rôle dans l'Eglise des âmes corédemptrices.

Nous pouvons y lire comme un pressentiment de l'appel particulier qui la conduira à suivre le Sauveur en donnant sa vie pour les siens.

---

6. Cité, C, p. 138.

FRAGMENT DU MYSTERE DE NOEL

PAR Edith Stein.

... L'étoile nous conduit à la crèche, nous y trouvons l'Enfant Dieu qui porte la paix au monde. De multiples images nous reviennent à l'esprit à ces mots de Noël, toutes celles par lesquelles l'art chrétien a essayé de traduire ce mystère de douceur.

Cependant le ciel et la terre restent encore bien distincts. Aujourd'hui comme alors, l'étoile de Bethléem brille dans une nuit obscure. Dès le second jour des fêtes liturgiques l'Eglise dépose ses vêtements éclatants de blancheur, pour revêtir la couleur sanglante du martyre, et bientôt le violet en signe de deuil. Tout proches du Nouveau-Né, dans sa crèche, nous trouvons Etienne, le premier martyr qui ait suivi le Seigneur jusqu'à la mort, et les enfants Innocents, odieusement massacrés.

Pourquoi cela ? Que sont devenus la joie exultante que nous apportaient les anges du ciel, le bonheur silencieux de la nuit sainte et cette paix surtout, promise sur notre terre aux hommes de bonne volonté ?

C'est que, hélas ! tous les hommes ne sont pas de bonne volonté. Si le Fils du Père éternel est descendu des splendeurs du ciel, c'est que le mystère du mal avait couvert la terre de sa nuit.

Car les ténèbres couvraient la terre, et Il est venu comme la lumière qui brille dans les ténèbres ; et les ténèbres ne l'ont pas reçu. A tous ceux qui l'ont reçu Il a donné la lumière et la paix — la paix avec notre Père dans le ciel et avec tous ceux qui sont comme nous les enfants de la lumière : les fils de Dieu. Ceux-là connaissent la paix profonde du cœur. Mais entre eux et les enfants des ténèbres il n'y a pas de paix, car à ceux-ci le Prince de la paix a porté le glaive et Il est devenu pour eux une pierre d'achoppement. S'ils se jettent contre lui, ils seront brisés à jamais.

C'est là une dure et grave leçon, en vérité, que le charme ravissant de l'Enfant de la crèche ne doit pas dérober à notre vue. Car le mystère de l'Incarnation et le mystère du mal sont étroitement liés. Devant cette lumière descendue du ciel, la nuit du péché paraît plus noire et plus dense.

Cependant l'Enfant dans sa crèche étend ses mains vers nous et son sourire semble nous dire comme le feront plus tard ses paroles d'homme : « Venez à moi, vous qui souffrez et ployez sous la charge. »

Les pauvres bergers ont répondu à cet appel. Ils ont vu l'éclat du ciel lumineux, ils ont entendu la voix des anges leur annonçant la bonne nouvelle, ils se sont mis en route avec confiance, se disant les uns aux autres : « Passons à Bethléem, et voyons ce qui est arrivé !... »

Les mages sont venus du lointain pays d'Orient, ils ont vu l'étoile merveilleuse, ils l'ont suivie, ils ont cru sans réserve, humblement, et des mains de l'Enfant ils ont reçu la rosée de la grâce et ils se sont réjouis « d'une grande joie ».

Ces mains de l'Enfant : elles prennent et donnent en même temps !

Aux sages, elles dérobent leur sagesse, et voilà qu'ils deviennent simples comme des enfants ; aux rois, elles ôtent leurs couronnes et leurs trésors, et les voilà prosternés devant le Roi des rois, acceptant sans hésiter de prendre leur part de souffrances et de travaux à son service; aux enfants trop petits pour rien donner librement, ces mains prennent leur vie fragile, à peine ébauchée, et les voilà offerts en holocauste au Maître de la vie.

Car les mains de l'Enfant et plus tard les lèvres du Seigneur lancent un même appel : « Viens, suis-moi. »

Chez les disciples de Jésus, qu'elle rassemble autour de la crèche, selon les indications de la liturgie, Edith Stein relève surtout deux qualités : la pureté du cœur et la générosité d'un don sans réserve.

Suis-moi ; c'est la parole qu'entendit Etienne, le jeune disciple, et il suivit le Maître dans le combat contre les puissances des ténèbres, contre l'aveuglement obstiné des endurcis. Il porta témoignage par sa parole, puis scella ce témoignage dans son sang. Du Sauveur il reçut l'Esprit d'amour, cet Esprit qui fait haïr le péché mais aimer les pécheurs, et au seuil de la mort il pria Dieu pour ses assassins...

Ce sont des figures de lumière que nous rencontrons, agenouillées près de la crèche, les petits Innocents dans leur tendre enfance, les bergers fidèles, les rois conquérants, Etienne, l'ardent disciple, et Jean, l'apôtre très-aimé ; tous ont répondu à l'appel du Seigneur.

Contre eux, se dressent dans la nuit d'un endurcissement incroyable, incompréhensible : les « savants », ceux qui se flattaient

de nous dire exactement les lieux et la date de la naissance du
Sauveur du monde, sans déclarer pour autant : « Passons à Bethléem et voyons ce qui est arrivé... » ; le roi Hérode, qui voulut tuer
le Maître de la vie, et bien d'autres encore.

Car devant l'Enfant de la crèche les esprits sont mis à nu. Il
est le Roi des rois. Il domine sur la vie et sur la mort. Il dit « viens,
suis-moi » et celui qui n'est pas avec lui est contre lui. Mais il le
dit pour nous aussi et nous place chacun devant ce choix entre la
lumière et les ténèbres.

Edith Stein énumère ici trois signes auxquels on reconnaît
le véritable enfant de Dieu : *l'union à Dieu* qui lui fait mettre
sa main dans celle de l'Enfant-Dieu, s'ouvrir par son acquies-
cement au torrent de la vie divine ; *l'union du prochain en
Dieu*, afin que tous soient un ; *l'union à la volonté divine*
pour que cette volonté soit faite.

Le « que votre volonté soit faite » prononcé dans toute sa profondeur est comme la charnière de la vie chrétienne. Nous devons le
dire du matin jusqu'au soir, et toute l'année, et toute la vie. Alors,
le Christ devient notre unique bien. Tout autre souci est assumé
par lui. Mais celui-là nous restera la vie durant.

Objectivement, spéculativement, nous ne sommes pas sûrs de
demeurer sans faillir dans la voie de Dieu. Comme nos premiers
parents, nous pouvons tomber, nous sommes toujours en équilibre
instable sur une crête située entre l'abîme du néant et celui de
la plénitude de la vie divine. Et chacun de nous est appelé à faire
plus ou moins vite l'expérience personnelle de cette vérité objective.

Dans le « jardin d'enfants » de la vie spirituelle, lorsque nous
commençons à marcher et à nous laisser conduire par Dieu, nous
sentons très fort Sa présence. Sa main nous tient, le soleil brille à
nos yeux, et nous n'avons qu'à marcher. Mais il n'en est pas
toujours ainsi. Celui qui appartient au Christ doit revivre toute la
vie du Christ. Il doit prendre lui aussi le chemin de la Croix, passer
par Gethsémani et le Golgotha.

Et les souffrances extérieures ne sont rien, en comparaison
de la nuit qui envahit l'âme lorsque la lumière divine ne brille
plus et que la voix du Seigneur ne se fait plus entendre. Dieu est
toujours là, mais Il est caché et Il se tait. Pourquoi en est-il ainsi ?
Ce sont les mystères de Dieu que nous abordons et ils ne se laissent

pas aisément percer. Nous pouvons essayer d'en entrevoir quelque chose. Dieu s'est fait homme pour nous donner part à sa vie divine : nous tenons là le point de départ et l'aboutissement.

Ici Edith Stein retrouve, dans son explication, la simplicité des termes du catéchisme :

Le Christ est Dieu et homme, et si nous voulons participer à Sa vie, il faut le faire *totalement*. La nature humaine qu'Il a revêtue lui a donné la possibilité de souffrir et mourir. La nature divine qu'Il possède de toute éternité donne à Sa vie et à Sa mort leur valeur infinie et rédemptrice...

Les souffrances et la mort du Christ vont se prolonger, se continuer dans son corps mystique. Tout homme doit souffrir et mourir. Mais pour qui devient un membre vivant du Christ cette souffrance et cette mort prennent une valeur corédemptrice. C'est la raison objective pour laquelle — nous pouvons le constater — tous les saints ont demandé la souffrance. Il ne s'agit pas là d'un désir morbide. Ce qui aux yeux de la raison naturelle semble une perversion apparaît comme supra-raisonnable à la lumière du mystère de la Rédemption.

Ainsi, tel membre du Christ portera sans défaillir la souffrance des ténèbres de la nuit obscure et de l'abandon apparent de Dieu, tandis que Dieu, dans sa providence, permettra cette torture pour compenser le péché d'un autre homme, que le mal a véritablement séparé de Lui, et obtenir son rachat.

C'est pourquoi nous devons dire : « Que votre volonté soit faite », aussi et surtout du sein de cette nuit...

Mais l'humilité de son explication n'empêche pas la clairvoyance de son regard :

...Il y a un très long chemin depuis la satisfaction de soi du « bon catholique », qui fait « son devoir », lit un « bon journal », vote « bien », et agit à sa guise jusqu'à l'abandon total du fils de Dieu, qui a remis sa vie à son Père et marche la main dans la main avec Lui, attendant tout de Lui, avec la simplicité de l'enfant et l'humilité du publicain. Mais une fois que l'âme a parcouru ce chemin elle ne saurait revenir en arrière.

Et voici que nous lisons sa propre histoire :

L'enfance spirituelle consiste à devenir à la fois : tout petits et très grands. La vie eucharistique vient nous prendre à nous-mêmes, nous arracher à l'étroitesse de nos limites personnelles, pour nous greffer sur la vie divine du Christ et nous faire croître en Lui.

Il est certain que celui qui rend visite au Seigneur dans sa Maison ne lui parlera pas toujours de lui-même, ni de ses mesquines préoccupations. Il commencera à s'intéresser aux soucis du Sauveur. La participation quotidienne au sacrifice de la messe nous entraîne, comme à notre insu, dans le grand courant de la vie liturgique. Les prières de l'Eglise, l'exemple des saints pénètrent l'âme de plus en plus profondément. L'offrande du Saint Sacrifice la renouvelle, et la ramène au mystère essentiel de notre foi, à la pierre angulaire qui porte le monde : *l'Incarnation rédemptrice.*

Comment serait-il possible d'être présent de cœur et d'esprit à la messe, sans se trouver saisi du désir immense de s'offrir en union au Saint Sacrifice, de donner sa propre vie, de se livrer, afin de participer aussi au grand travail de la Rédemption du monde ?

Les mystères du christianisme forment un tout inséparable : si l'on approfondit l'un d'entre eux, il conduit à tous les autres. Ainsi le chemin de Bethléem nous mènera jusqu'au Golgotha : de la crèche à la Croix. A la Très Sainte Vierge, offrant l'Enfant au Temple, il fut prédit que son âme serait transpercée d'un glaive et que cet Enfant était donné comme un signe de contradiction pour le salut et la perte d'un grand nombre. C'était l'annonce de la souffrance, de cette lutte entre la lumière et les ténèbres, qui commence dès la crèche.

A certaines années, à peine les cierges de la Purification sont-ils éteints, que l'Eglise nous fait entrer dans un temps de pénitence (Septuagésime) pour nous préparer au mystère des douleurs de la Passion.

Dans la nuit du péché, l'étoile de Bethléem irradie sa douce lumière. Mais déjà l'éclat qui rayonne de la crèche est assombri par l'ombre de la Croix. Le vendredi saint les ténèbres submergent tout, elles semblent dominer. Cependant la lumière se lève, plus éclatante que jamais, dans la clarté du matin de Pâques.

Le Fils de Dieu, le Verbe fait chair, a choisi de prendre le chemin de la Croix douloureuse pour triompher dans la gloire de la résurrection. Notre chemin à nous doit passer par la souffrance et la mort, car nous suivons le Fils de l'homme, mais avec lui nous entrerons dans la splendeur de la résurrection. C'est la voie de chacun d'entre nous et celle de l'humanité rachetée tout entière [7].

---

7. Fragment du *Mystère de Noël*, édité par Borromäusvereins, à Bonn, 1948.

CHAPITRE XII

LA VETURE

Le dimanche 15 avril 1934, Edith Stein recevait l'Habit du Carmel et le nom de sœur Thérèse-Bénédicte de la Croix. Jamais la petite chapelle du Carmel Regina-Pacis n'avait connu semblable fête. Une profusion de fleurs couvrait l'autel, des amis et connaissances innombrables remplissaient les lieux. Ils étaient venus de toutes parts assister à cette cérémonie et manifester ainsi leur affection et leur estime pour Edith Stein. Celle-ci sortit de clôture durant la matinée, vêtue de blanc, comme une fiancée au jour des noces. Elle trouva pour l'accueillir le Révérend Père Provincial des Carmes déchaux : Théodore de Saint-François, qui devait lui donner l'Habit, et le Père-Abbé de Beuron : dom Raphaël Walzer, qui célébra la messe pontificale. Des collègues de Munster, Fribourg et Spire, ainsi que de nombreux élèves et amis se pressaient autour d'elle. Elle sut trouver pour chacun le mot du cœur. Bientôt toutes les cloches se mirent en branle, annonçant la cérémonie, et le Père-Abbé, entouré du clergé, vint jusqu'à la porte de la chapelle extérieure, à la rencontre de la fiancée du Christ, qu'il conduisit à l'autel.

Après la messe solennelle et une allocution de dom Walzer, le Père Provincial des Carmes s'étant avancé, Edith Stein s'approcha de lui et, se mettant à genoux, demanda d'une voix calme la grâce d'être admise pour toujours dans l'Ordre de Notre-Dame-du-Mont-Carmel :

— Que demandez-vous ? interrogea le supérieur ; et la future Carmélite de répondre :

— La miséricorde de Dieu, la pauvreté de l'Ordre et la compagnie des sœurs.

— Etes-vous décidée à persévérer jusqu'à la mort ?

— Ainsi je le souhaite et l'espère, appuyée sur la miséricorde de Dieu et la prière des sœurs.

Edith Stein, se relevant alors, prit un cierge allumé et s'approcha de la porte de clôture ; celle-ci s'ouvrit, laissant entrevoir les religieuses en manteau blanc, voilées de noir, qui attendaient debout, portant elles aussi des cierges allumés. La Mère Prieure présenta son crucifix à Edith Stein qui le baisa à genoux, puis franchit le seuil consacré et l'épaisse porte se referma sur elle.

Bientôt les moniales faisaient deux à deux leur entrée au chœur, toujours voilées, la Mère Prieure venait en dernier, tenant par la main la novice revêtue de bure. Celle-ci s'approcha de la grille, conduite par sa Mère Prieure. Par une ouverture pratiquée à cet effet, le Père Provincial prit en ses mains le scapulaire et la ceinture de l'Habit monastique, prononçant les formules traditionnelles de bénédiction :

« Prenez le joug si doux de Jésus-Christ et son fardeau léger... [1]. Lorsque vous étiez jeune, vous pouviez vous ceindre vous-même et aller où vous vouliez ; mais quand vous serez avancée en âge, un Autre vous ceindra... [2] »

Puis, revêtue du manteau blanc [3], couverte du grand voile de clôture et couronnée de roses, la novice s'étendit sur le sol, face à l'autel, les bras en croix, tandis que le Père Provincial entonnait le *Veni Creator* qui fut repris par les religieuses et par l'assistance. Enfin, au chant du Psaume 132 : « Ah ! qu'il est bon et qu'il est doux à des frères d'habiter

---

1. Bénédiction du scapulaire.
2. Bénédiction de la ceinture.
3. « Ceux qui suivent l'Agneau sans tache feront partie de son cortège éclatant de blancheur. » (Bénédiction du manteau.)

ensemble... », la novice reçut de chacune de ses sœurs le baiser de la paix et de la joie fraternelle. — ... « Car sur cette société Dieu répand sa bénédiction, avec la vie pour toute l'éternité. » Et tandis que les assistants s'attardaient à la grille, comme s'ils désiraient percer un peu du mystère de cette action, sœur Thérèse-Bénédicte, ayant fait au seigneur le don de sa liberté, retourna paisiblement à ses occupations quotidiennes.

Quelques jours plus tard, le professeur et philosophe rhénan Peter Wust, en un article publié par le *Kölnische Volkzeitung* (Journal de Cologne), soulignait le sens profond de cette vocation tardive. Peter Wust, après son livre sur *la Résurrection de la métaphysique,* a fait paraître une série d'articles retentissants, plus tard réunis en volume, *le Retour de l'exil,* célébrant l'affermissement du catholicisme allemand et son affranchissement du sentiment d'infériorité qui l'avait longtemps enchaîné en Allemagne. En 1928, ce philosophe publiait un monumental ouvrage intitulé *la Dialectique de l'esprit (Die Dialektik des Geistes).*

C'était un ami d'Edith Stein et un admirateur de son œuvre philosophique. Au moment de sa prise d'Habit. il eut ce mot que M. Lenz-Médoc nous rapporte : « Avant de faire connaissance d'Edith Stein, je ne pensais pas qu'une femme puisse posséder le don de la sagesse philosophique. Mais l'intelligence d'Edith et celle de son amie, Hedwige Conrad, m'ont fait changer d'avis. »

DE HUSSERL AU CARMEL [4]

... Un groupe de personnes avides des choses de l'esprit se trouvait assemblé le dimanche 15 avril 1934 dans la modeste chapelle du Carmel de Cologne, pour assister à une fête singulière.

La mariée, qui fut conduite à l'autel, avait parcouru un chemin

---

4. Article de Peter Wust, *Kölnische Volkzeitung.*

tout à fait symbolique de la quête spirituelle des hommes de son temps. Elle ne devait pas s'unir à un époux de la terre. Car cette mariée, qui nous saluait chacun, nous souriant sous son long voile, tandis qu'elle montait vers l'autel, nous devions la quitter à la fin de la cérémonie, emportant le souvenir d'une religieuse carmélite, vêtue de bure. Son nom même devait changer : Edith Stein, la brillante et jeune philosophe, assistante de Husserl et notre amie, devenue notre humble sœur, s'appelait désormais : Thérèse-Bénédicte de la Croix.

Son chemin l'avait conduite d'abord vers l'initiateur de la phénoménologie en Allemagne ; plusieurs années durant, elle fut l'assistante de Husserl. Elle y gagna une vue profonde sur l'œuvre de ce penseur, qui avait révolutionné les milieux intellectuels et philosophiques par la publication de ses *Recherches logiques*...

... Edith Stein, cependant, l'auxiliaire de Husserl maintenant Carmélite, a eu le bonheur de poursuivre son chemin jusqu'au terme. Elle aussi, comme Scheler et bien d'autres, a été conduite vers le silence profond de « l'Una Sancta ». Mais sa conversion a marqué le point de départ d'une nouvelle étape. Restée fidèle à la formation philosophique de Husserl, elle continua d'abord ses travaux appliquant rigoureusement à l'étude du dogme chrétien la méthode objective de la phénoménologie. Puis, à l'écart des agitations du monde, elle se mit à l'école de saint Thomas, traduisant peu à peu le *De Veritate*. Elle le fit avec grande limpidité, comme si elle avait souhaité présenter la pensée objective et sereine de ce maître du Moyen Age, en modèle, aux phénoménologues subjectifs et tourmentés du monde moderne.

Il semble que durant ce travail la sagesse du maître a si bien pénétré le disciple, que tout son être en fut transformé. C'est ainsi qu'Edith, devenue chaque jour plus silencieuse, plus simple, plus enfant, a été appelée à entrer elle-même dans cet univers mystique que rendait présent la parole du saint. Allant toujours plus loin, elle atteignit la seule réalité vraie de l'être, la réalité du surnaturel, rejoignant ainsi les saints du Carmel, un Jean de la Croix, une Thérèse d'Avila, qui l'avaient précédée dans le silence de la prière.

... Avec une surprise émerveillée, nous avons pu suivre, durant sa Vêture, les étapes du cheminement liturgique, jusqu'à l'émouvante scène finale, où la novice, embrassant ses sœurs au chant du *Ecce quam bonum*, se trouva comme entraînée par elles, toujours plus profondément dans le chœur, toujours plus loin du monde ; elle était devenue sœur Bénédicte, *bénie dans la Vérité*. Dans toute la splendeur de la Vérité.

L'auteur ajoutait en conclusion :

J'ai gardé présente à l'esprit une image symbolique de la cérémonie. C'était au moment des adieux, lorsque nous prenions congé de sœur Bénédicte au parloir. De part et d'autre de la grille se tenaient les deux meilleures élèves de Husserl. De notre côté : Hedwige Conrad-Martius, qui a dépassé son professeur, en portant le regard phénoménologique jusqu'en des profondeurs inexplorées de la métaphysique ; de l'autre côté celle qui s'était avancée jusqu'à la Source de tout être créé, accédant ainsi au mystère du Carmel. Je ne pouvais m'arracher à cette grille de clôture, suivant par l'esprit le long chemin parcouru par la novice : De Husserl à saint Thomas, jusque-là, oui jusque-là ! Mais il fallut bien se retirer par respect pour la règle monastique, et ce fut une croisée de routes décisive : la mienne redescendait vers le monde, la sienne entrait dans la Vie...

Husserl, à qui une autre élève, celle-ci Bénédictine, sœur Aldegonde, racontait la prise d'Habit, posa de multiples questions et témoigna d'une fierté paternelle lorsqu'il sut combien Edith était appréciée dans son monastère. Puis, réfléchissant à voix haute, il dit pensivement :

« Une question : Edith a appris suffisamment à connaître la clarté d'esprit cohérente et mesurée de la scolastique. D'où vient qu'à vrai dire rien de cela ne paraît chez sainte Thérèse [5] ? »

Il poursuivit : « Il est remarquable de voir Edith découvrir comme du sommet d'une montagne la clarté et l'ampleur de l'horizon, avec une merveilleuse agilité et transparence ; en même temps, elle sait se tourner vers l'intérieur et garder la perspective de son moi.

« En elle, tout est authentique. Sinon je dirais que sa

---

5. Husserl connaissait un peu sainte Thérèse d'Avila, il l'avait étudiée quand Edith s'était convertie après l'avoir lue. Ce qu'il aurait fallu peut-être lui répondre, c'est que c'est le même Esprit transcendant qui plane sur l'océan limpide de la scolastique et sur les tempêtes de l'âge baroque.

conversion et sa vocation ont été arrangées et fabriquées. Mais, en fin de compte, il y a, au fond de tout Juif, un absolutisme et un amour du martyre. »

Quelques années plus tard, au printemps de 1938, l'année où sœur Thérèse-Bénédicte prononçait ses vœux perpétuels, le vieux maître tomba gravement malade.

En septembre 1937, souffrant d'une pleurésie, il avait déclaré : « Depuis ma jeunesse j'ai lutté contre les multiples formes de vanité et maintenant je les ai presque toutes vaincues, même la vanité professionnelle provoquée par le respect et l'admiration des élèves, sans lesquels un jeune professeur ne saurait travailler. J'aurais voulu, avant ma mort, me tourner vers le Nouveau Testament, comme le fit Newton, et ne plus rien lire d'autre. Quelle belle fin de vie c'eût été ! »

Il ajouta : « Ayant accompli mon devoir de philosophe, je devrais me sentir libre désormais de prendre les moyens qui m'aideraient à me connaître moi-même, car nul ne se connaît s'il ne lit la Bible [6]. »

Le jeudi saint de l'année 1938 (le 14 avril), sentant approcher la mort, il demanda à la sœur infirmière, qui le soignait avec sa femme et sœur Aldegonde [7] :

— Est-il vraiment possible de bien mourir ?

Elle répondit :

— Oui, dans une paix profonde.

— Mais comment ?

— Par la grâce de notre Sauveur : Jésus-Christ, dit-elle.

Et la sœur de réciter le psaume 22 : *Yahweh est mon pasteur, rien ne me manque...*

A ce passage : *Devrai-je traverser le ravin de la mort, tu es près de moi et je ne craindrai nul mal,* Husserl l'interrompit ainsi : « Oui, c'est ce que je veux dire, je désire qu'Il soit près de moi, mais je ne sens pas sa proximité. » Et il murmura : « Il faut prier pour moi [8]. »

---

6 et 8. Souvenirs de sœur Aldegonde cités par Oesterreicher, *Walls are crumbling,* pp. 95, 96.

7. Cette infirmière de la Croix-Rouge, une protestante, était la fille du professeur Immisch, un ami de Husserl. Avec sœur Aldegonde elle assista le malade jusqu'à la fin.

Lorsqu'il reprit conscience, le vendredi matin, sa femme lui dit : « Aujourd'hui, c'est le vendredi saint. »

Il répondit : « Quel beau jour, le vendredi saint, oui ! le Christ nous a tout pardonné. »

Comme il se plaignait le même soir d'être encore vivant, sœur Aldegonde, qui était proche, tenta de le réconforter, lui rappelant la mort du Christ en croix : « Dieu est bon », fit-elle. Il répliqua : « Oui, Dieu est bon, mais Il est incompréhensible, et c'est là une grande épreuve pour moi... » Il ne put achever sa phrase.

Après un moment, il reprit : « Il y a comme deux mouvements qui se cherchent sans cesse, se rencontrent, puis recommencent à se chercher... » A quoi sœur Aldegonde, essayant d'entrer dans sa pensée, répondit : « Oui, le ciel et la terre se rencontrent en Jésus, Dieu descend vers l'homme dans le Christ. » Et elle tenta de lui parler du Christ médiateur et de notre rédemption en lui.

Husserl acquiesça : « Oui, il en est bien ainsi » ; puis il se reposa un peu. Il fit ensuite de grands gestes comme pour chasser quelque vision effrayante. Interrogé sur ce qu'il voyait, il dit : « De la lumière et des ténèbres, beaucoup de ténèbres, et de nouveau la lumière. » Et il tomba dans une sorte de coma qui se prolongea jusqu'au 27 avril. Ce jour-là, se tournant vers son infirmière, il s'écria : « J'ai vu quelque chose de magnifique, vite ! écrivez ! » Comme elle s'approchait avec un carnet de notes, il était mort.

A ces indications relevées par Oesterreicher, sœur Aldegonde Jaegerschmid ajoute les détails suivants : Mme Husserl devint catholique durant cette guerre, c'est le père van Breda, Franciscain, qui l'aida à quitter l'Allemagne et lui trouva un abri chez des religieuses belges de Bethléem.

Le père van Breda sauva également les manuscrits de Husserl ; car, atteint par les lois raciales, Husserl avait été chassé de l'Université de Fribourg, et son œuvre tombait sous l'interdit. Cette œuvre a été recueillie, avec celle d'Edith Stein, par les Archives Husserl à l'Université de Louvain. L'Eglise catholique devenait ainsi dépositaire de ce que Husserl avait de plus cher au monde : des trésors de son affection et de sa pensée. Mme Husserl mourut à Fribourg-en-Brisgau, en novembre 1950. Elle est enterrée dans le petit cimetière de Günterstal, à l'ombre du monastère bénédictin de Sainte-Lioba et les cendres de son mari, rapportées d'Amérique par son fils, ont été déposées dans le même tombeau.

L'annonce de cette mort pacifiée parvint au Carmel de Cologne quelques jours après que sœur Thérèse-Bénédicte eut prononcé ses vœux perpétuels.

Deux mois plus tôt, elle avait écrit à sœur Aldegonde : « En ce qui concerne mon vieux maître, je n'ai pas d'inquiétude. Je suis loin de penser que la miséricorde de Dieu est limitée par les frontières de l'Eglise visible. Dieu est la vérité. Qui cherche la vérité cherche Dieu, qu'il en soit conscient ou non. »

Au lendemain de son décès elle ajoutait simplement : « ... Je m'attendais bien à ce que la délivrance survienne au moment de ma profession perpétuelle. Comme pour ma mère, qui est morte à l'heure du renouvellement de mes vœux temporaires. Ne croyez pas que j'aie trop grande confiance en ma prière ou mes mérites. Je suis simplement persuadée que Dieu n'appelle jamais une personne pour elle seule. Et qu'il est prodigue en marques d'amour lorsqu'il accepte le don d'une âme [9]. »

Le jeudi de Pâques 21 avril, sœur Bénédicte s'était donnée à Dieu pour toujours, le 27 avril, il semble bien que Husserl, à l'heure de sa mort, se soit tourné de tout son cœur vers la lumière divine.

Durant la visite canonique qui suivit la prise d'Habit, le Père Provincial s'informa, auprès de sœur Bénédicte, de l'état de ses recherches philosophiques. Au moment de son entrée, elle rédigeait un essai, *Potenz und Akt,* resté inachevé, et qui, de l'avis des spécialistes, représentait une contribution importante aux études de la philosophie contemporaine. Le Père Provincial fit donc décharger sœur Bénédicte

---

9. Lettre à sœur Aldegonde, 15 mai 1938.

de tout emploi dans le monastère, afin qu'elle puisse reprendre ses travaux. Après avoir terminé la révision des épreuves
du deuxième volume de sa traduction du *De Veritate*, la
Carmélite consacra son temps à la rédaction du grand ouvrage
dont nous avons parlé plus haut : *Etre fini et Etre éternel.*

Les professeurs Koyré et Dempf eurent l'occasion de
parcourir le manuscrit et témoignèrent d'un vif intérêt pour
cette étude. Mais, à cause de l'interdit qui pesait sur tout
écrit d'origine juive, il ne se trouva pas d'éditeur — ni en
Allemagne ni en Autriche — pour imprimer l'ouvrage. Seuls
de fidèles amis de la famille Stein, les Borgmeyer à Breslau,
coururent le risque. Ils furent contraints d'interrompre les
travaux alors que les épreuves du premier tome étaient
déjà corrigées et prêtes pour l'impression. Ce n'est qu'en 1950
que le livre devait paraître, dans le cadre des œuvres complètes d'Edith Stein [10].

« Quand j'ai revu Edith pour la première fois au Carmel
de Cologne, nous dit à ce propos M. Koyré, elle n'écrivait
pas encore. Comme je m'en étonnais, elle me répondit en
souriant : Patientez un peu, vous verrez qu'on me laissera
écrire, il le faut.

« Nous avions été surpris par sa décision d'entrer dans
un ordre aussi peu intellectuel que le Carmel. Mais peut-être
a-t-elle choisi l'ordre religieux où, en dehors de la vie en
présence de Dieu, il n'y a absolument rien ?

« Je l'ai revue à plusieurs reprises sous son voile blanc.
Elle était rayonnante et tellement vraie ! Aucune photo ne
rend l'aspect extraordinairement lumineux de sa personne.

« Nous avons parlé de son livre, nous avons aussi abordé
les problèmes du monde contemporain. Elle était très radicale.
Elle souffrait intensément du mal dans le monde, oui, elle
me paraissait révoltée devant le mal, le péché. Pour moi, je
ne suis pas croyant, mais elle qui croyait en Dieu, comment
ne pas se jeter vers Lui ? C'était son moyen de s'opposer
au mal. A chacune de mes visites, je l'ai trouvée radieuse,
comme rajeunie, et je pense qu'elle vivait avec son Dieu... »

---

10. Voir en annexe la liste des œuvres d'Edith Stein.

C'est bien l'impression qui se dégage de la lecture d'*Etre fini et Etre éternel* ; le livre manifeste à la fois la science de la philosophie et les lumières reçues par la Carmélite dans la contemplation silencieuse du mystère de Dieu.

Ces pages, qui sont écrites à un moment où le cœur de la moniale est déchiré par les coups qui frappent Israël, respirent la paix et la joie devant la Beauté incréée. Elles révèlent l'abandon d'une âme qui s'étant remise entre les mains de son Père du ciel ne s'appartient plus.

Nous le pensons, avec M. Koyré, ce sont l'injustice et la méchanceté des hommes qui ont jeté sœur Bénédicte dans les bras de son Dieu. Et, pour qualifier la portée de cette rupture radicale entre le monde et le saint, nous emprunterons ces lignes de Jacques Maritain [11] :

Essayons d'imaginer ce qui se passe dans l'âme d'un saint au moment crucial où il prend sa première décision irrévocable. A la racine d'un tel acte il y a eu quelque chose de si profond dans l'âme qu'on ne sait comment l'exprimer — disons que c'est un simple refus — non un mouvement de révolte, qui est temporaire, ni de désespoir, qui est quelque chose de passif, mais plutôt un simple refus, un refus total, stable, suprêmement actif, d'accepter les choses comme elles sont...

Cet acte a affaire avec un fait, un fait existentiel : les choses comme elles sont ne sont pas tolérables, elles ne sont décidément pas, positivement pas tolérables. Dans la réalité de l'existence, le monde est infecté de mensonges et d'injustice et de méchanceté et de détresse et de misère, la création a été gâchée par le péché à un tel point que dans le fond du fond de son âme, le saint refuse de l'accepter comme elle est. Le mal — j'entends la puissance du péché, et l'universelle souffrance qu'elle entraîne, la pourriture de néant qui ronge partout les choses — le mal est tel, que la seule chose qu'on ait sous la main pour y remédier, et qui enivre le saint de liberté, d'exultation et d'amour, est de tout donner, tout abandonner, et la douceur du monde, et ce qui est bon, et ce qui est meilleur, et ce qui est délectable et permis, pour être libre d'être avec Dieu ; c'est d'être totalement dépouillé et donné afin de se

11. Jacques Maritain, *la Signification de l'athéisme contemporain*, Desclée de Brouwer, 1949.

saisir du pouvoir de la Croix, c'est de mourir pour ceux qu'il aime. C'est là un éclair d'intuition et de vouloir au-dessus de tout l'ordre de la moralité humaine. Une fois qu'une âme d'homme a été touchée au passage par cette aile brûlante elle devient partout étrangère.

CHAPITRE XIII

L'OMBRE DE LA CROIX

Les années de noviciat de sœur Thérèse-Bénédicte, avant et après sa profession temporaire, s'écoulèrent paisiblement. Partagée entre les travaux intellectuels, les œuvres de miséricorde (elle avait obtenu la permission de soigner plusieurs mois durant une sœur atteinte d'un cancer), les exercices du noviciat, où elle assista bientôt la Mère-maîtresse avec délicatesse et compréhension, sœur Bénédicte entrait toujours davantage dans une vie cachée en Dieu.

Elle portait en silence le souci de l'avenir des siens. Chaque semaine, elle écrivait une lettre à sa vieille maman ; celle-ci, gardant la réserve, ne lui répondait pas ; mais peu de temps avant sa mort, elle prit l'habitude de joindre un petit message au courrier que ses enfants adressaient à la Carmélite. Edith demeurait très attachée à sa famille, elle ressentit douloureusement l'incompréhension de sa mère. Dès sa prise d'Habit, écrivant à sa sœur Erna, elle lui faisait part de sa souffrance de ne pouvoir partager avec Mme Stein les sentiments intimes de son cœur :

« Peut-être le professeur Koch sera-t-il passé chez vous pour vous raconter la cérémonie (de prise d'Habit). Mais il n'y a pas de mots qui puissent exprimer la beauté de cette journée. Maintenant encore, nous recevons des lettres de remerciements venues de tous côtés et qui marquent l'impression profonde ressentie par nos hôtes...

« ... J'ai dit au professeur Koch qu'il n'était pas opportun de faire une visite à maman, pour le moment. Cela me fait beaucoup de peine d'apprendre que vous vivez de nouveau des jours difficiles. Maman a certainement conçu de nouveaux espoirs, car la voici qui me récrit après des semaines de silence ; chaque fois, il est vrai, au prix d'une pointe d'agressivité ; certainement elle doit en parler avec vous et vous devez lui cacher ce que vous savez (de ma vie).

« Je suis bien triste de voir quelles idées fausses elle se fait non seulement de notre foi, de notre vie conventuelle, mais aussi de mes motifs personnels, et de ne rien pouvoir y changer. Mais je sais que toute parole serait vaine et ne ferait que la bouleverser inutilement...

« Pour l'adresse, vous vous habituerez peu à peu à mon nouveau nom (Teresia-Benedicta a Cruce, o.c.d., ce qui veut dire : *Ordinis Carmelitarum Discalceatarum*).

« Si vous préférez m'écrire sous mon ancien nom, on le comprendra bien ici et personne ne songera à vous en tenir rigueur. Mais vous ne m'en voudrez pas non plus si je signe du nom dont m'appellent mes sœurs :

> Avec profonde affection, votre sœur,
> BÉNÉDICTE [1]. »

Le 14 septembre 1936, alors que sœur Thérèse-Bénédicte renouvelait ses vœux avec la Communauté, la vieille Mme Stein, âgée de 88 ans, s'éteignait après de longues souffrances, attribuées à un cancer de l'estomac. Des amis bien intentionnés crurent devoir consoler sa fille religieuse, en lui suggérant que Mme Stein était devenue catholique peu de temps avant sa mort.

Ils reçurent cette simple réponse de sœur Bénédicte :

« La nouvelle de la conversion de ma mère est une rumeur sans fondement, parfaitement erronée. J'ignore l'ori-

---

1. Lettre du 4-5-1934 à Erna Biberstein (dont nous publions la reproduction photographique en annexe).

gine de la supposition. Ma mère aura tenu jusqu'au dernier instant à ses convictions religieuses.

« La foi inébranlable qui soutint sa vie entière ne lui aura pas fait défaut à l'heure de sa mort. Je pense que cette foi lui aura permis de triompher des tourments de l'agonie et lui aura valu la miséricorde d'un Juge près de qui elle est maintenant mon soutien le plus fidèle. Puisse-t-elle m'obtenir, à moi aussi, de parvenir au but [2] ! »

Une des qualités caractéristiques de sœur Bénédicte était sa fidélité. Ses amis le sentaient bien, et ils ne manquaient pas de la visiter au Carmel, dans la mesure où la règle monastique leur permettait de tels entretiens.

Faisant allusion à ces parloirs, sœur Bénédicte écrivait à son amie bénédictine :

« ... La plupart des sœurs trouvent que c'est une pénitence que d'être appelée au parloir. C'est toujours un peu comme un voyage en pays étranger, après lequel on se retrouve avec bonheur dans le silence du chœur, à l'ombre du Tabernacle, partageant avec Jésus le poids des confidences reçues.

« Mais cette paix me pèse parfois comme une grâce trop grande, qui ne nous est pas donnée pour nous seules. Aussi, lorsque ceux qui nous arrivent, abattus, affligés, voire traqués, emportent en nous quittant un peu de paix et de consolation, cela me rend très profondément heureuse.

« Il est vrai qu'il serait tout à fait impossible de repenser en détail aux multiples intentions qui nous sont apportées. Mais nous pouvons nous efforcer de vivre cette vie que nous avons choisie avec une pureté de cœur toujours plus grande, afin de nous offrir en sacrifice agréable pour ceux dont nous avons la charge.

« La confiance qui nous est faite, l'estime presque excessive qu'inspire notre mode de vie doivent nous stimuler sans cesse à ce don renouvelé [3]... »

Parmi les amis fidèles à visiter la Carmélite, nous trouvons le professeur Peter Wust, de Munster, il aimait à dire que la

---

2. Lettre du 4-10-1936, cité, C, p. 176.
3. Lettre à sœur Aldegonde, du 11-1-1934.

connaissance philosophique lui paraissait peu de chose devant
la grandeur d'une vocation contemplative ; des Pères Béné-
dictins [4] et Jésuites ; des convertis récents ; on venait chercher près d'elle un aliment spirituel.

Gertrude von Le Fort qui était une amie d'Edith Stein,
profita d'une tournée de conférences qu'elle faisait en Rhé-
nanie pour aller jusqu'au Carmel de Cologne. Elle voulait,
nous dit-elle, se rendre compte par elle-même si Edith était
heureuse. La maîtresse des novices accéda à son désir et lui
permit de revoir sœur Bénédicte sans voile.

« ... Ainsi, écrit-elle, je pus regarder son visage qui était
rayonnant, et dont je n'oublierai jamais l'expression radieuse,
presque transfigurée. Jamais je n'avais vu Edith ainsi, lorsqu'elle se trouvait encore dans le monde. »

Nous lui avons demandé si sa conversation avec la Carmélite avait eu une influence sur le beau chapitre qu'elle a consacré à la signification du voile dans *la Femme éternelle (Die
ewige Frau)*. « Non, répondit-elle, car mon livre avait déjà
paru lorsque je la vis. Mais tandis que je travaillais à ce
chapitre, j'avais sa photographie sous les yeux et je la regar-
dais souvent [5]. »

Au moment de sa profession temporaire, qu'elle fit le
dimanche de Pâques, 21 avril 1935, la paix rayonnante de
sœur Bénédicte frappa son entourage. L'une de ses collègues
dans l'enseignement qui la revit alors écrivait au sortir de sa
visite au Carmel :

« Son expression radieuse et son aspect de grande jeunesse demeurent pour moi un souvenir inoubliable. Elle semblait rajeunie de vingt ans et son bonheur me bouleversa...
Cependant, comme je lui disais ma joie de la savoir à l'abri
dans le secret du Carmel, elle me répondit vivement : " N'en
" croyez rien ! On viendra sûrement me chercher jusqu'ici.
" En tout cas, je ne compte pas être épargnée. " Il lui apparaissait clairement qu'elle aurait à souffrir pour son peuple,

---

4. L'un d'entre eux, dom Daniel Feuling, de Beuron, a raconté
sa visite au Carmel de Cologne dans un récit que nous donnons en
annexe à ce chapitre.
5. Lettre du 9-11-1952.

pour remplir sa mission de ramener les siens à la Maison [6]. »

Heureuse, elle l'était profondément, et elle ne s'en cachait pas ; vers la même époque elle écrivait ces lignes au neveu du chanoine Schwind (le premier de ses directeurs de conscience) :

« ... Vous m'avez fait sourire en me demandant comment je m'habituais à la solitude. J'ai été bien plus seule, la plupart des années passées dans le monde, que je ne le suis ici.

« Rien ne me manque de ce que j'ai laissé au-dehors et je possède tout ce qui me faisait défaut. Je ne peux donc que remercier pour la grâce immense et gratuite de ma vocation [7]. »

Sa vocation, elle la plaçait très haut, mais elle ne pouvait souffrir les louanges adressées à sa personne :

« Vous m'avez peinée », écrivait-elle en 1938, à une dame qui lui témoignait un profond respect, « ... en marquant une trop grande différence entre nous deux. Je me sentirais " pharisien " si j'acceptais sans mot dire une telle distinction, qui n'a pas de fondement objectif. Certes, vous n'êtes pas la première à qui nos grilles inspirent cette crainte révérencielle. Mais ces grilles ne signifient pas que tout ce qui se trouve du côté du monde soit mauvais, ni ce qui est de notre côté bon.

« Nous, qui savons combien de misère humaine se tient cachée sous notre Habit, nous ne pouvons tolérer l'encens des louanges. Certes notre Dieu, dont la miséricorde et la bonté passent toute conception, veut récompenser de façon surabondante notre seul désir de lui appartenir totalement. Aussi, lorsque vous venez, vous sentez quelque chose de la paix de sa Maison, et cette paix nous vous la donnons de grand cœur. Mais vous ne devez pas attribuer à de pauvres êtres humains ce qui reste un pur don de Dieu [8]... »

Dès la mort de Mme Stein, sa fille Rose, qui attendait avec impatience le moment de recevoir le baptême, annonça sa prochaine venue au Carmel : elle désirait être baptisée à

---

6. Cité, C, p. 168.
7. Idem, p. 163.
8. Idem, p. 190.

Cologne. Elle arriva durant le cours du mois de décembre 1936 et trouva sa sœur à l'hôpital de la ville, où elle avait été transportée avec une fracture au pied. Cet accident imprévu permit aux deux sœurs de se voir chaque jour et de consacrer la dernière semaine de l'Avent à la préparation de Rose. Celle-ci fut baptisée dans l'après-midi du 24 décembre. Comme elle ne possédait pas de vêtement blanc, le manteau de sa sœur Carmélite couvrit ses épaules en signe de rénovation. Elle fit sa première communion à la messe de minuit, dans la chapelle du Carmel. Sœur Bénédicte avait obtenu son congé de l'hôpital et les supérieurs lui permirent d'assister au baptême dans l'église de Hohenlind avant de retourner en clôture.

Nous voulons ici emprunter quelques lignes aux souvenirs d'un ami de la famille Stein, évoquant sa rencontre avec Rose et Edith. Le portrait qu'il trace des deux sœurs est un peu antérieur au baptême de Rose.

Après avoir rappelé le charme très particulier d'Edith et l'entrain délicieux avec lequel elle partageait les jeux des plus petits de ses enfants à Munster, le professeur Rosenmöller ajoute :

« Edith aimait profondément son peuple, elle le portait dans une intense prière, elle a — je pense — offert pour lui sa vie au Seigneur. Nous étions très émus quand elle nous racontait comment — bien après sa conversion — elle accompagnait encore sa mère à la synagogue, au jour de l'Expiation, pour réciter, avec elle, les psaumes en hébreu. Sa mère était une femme très grande, et connue pour l'ardeur de sa conviction religieuse.

« ... Rose, qui était la plus âgée des deux, venait souvent chez nous (à Breslau). Elle a attendu la mort de sa mère pour se convertir, ne voulant pas lui infliger cette douleur. Mais, depuis des années, elle se rendait chaque matin à la messe de 5 heures, à la cathédrale... De Rose, je ne saurais mieux dire qu'elle était une sainte [9] ! »

En 1937, malgré la conjoncture politique de plus en plus

9. Lettre du 24-4-1953.

menaçante, le Carmel de Cologne put célébrer le trois centième anniversaire de sa fondation par des fêtes jubilaires qui revêtirent un certain éclat.

Sœur Bénédicte, écrivant à cette époque à un professeur de ses amis, met l'accent sur les douloureux combats qui se préparent dans le monde :

« ... Ici, nous vivons encore dans la paix, à l'abri de nos murs de clôture. Mais le destin tragique de nos sœurs d'Espagne nous est un avertissement salutaire et comme un signe avant-coureur.

« Nous allons au-devant de très grands bouleversements. En attendant, notre devoir consiste à soutenir de notre prière ceux qui sont déjà engagés dans la lutte. Nous avons pu célébrer notre jubilé du 30 septembre au 3 octobre, sous la protection de l'image miraculeuse de Notre-Dame-de-la-Paix, soyons dans l'action de grâces pour de telles fêtes à une telle époque [10]... »

Le 21 avril suivant, comme nous l'avons dit déjà, la Carmélite prononçait ses vœux perpétuels. Elle recevait le voile noir, le 1er mai 1938 des mains de Mgr Stockums, faisant siennes les antiques paroles de la consécration des vierges. La moniale, face à la grille du chœur, chante : *J'aime le Christ, en l'aimant je suis chaste, en le touchant je suis pure, en me donnant à lui je suis vierge.* Puis quand elle reçoit le voile, des mains de l'évêque, au communicatoire, elle poursuit : *Il a placé un signe sur ma face...* Et les religieuses reprennent toutes ensemble : *afin que son Amour seul ait accès à mon cœur.*

Ainsi, sœur Bénédicte semblait parvenue au terme : ses désirs étaient accomplis, sa vie appartenait à Dieu pour toujours.

Cependant les rumeurs de guerre, le récit des atrocités commises envers les Juifs venaient, comme des vagues de plus en plus fortes, se briser au seuil même du Carmel. Sœur Bénédicte était sans illusions. Elle comprenait mieux que personne la portée des nouvelles qui lui étaient transmises. Mais

---

10. Lettre du 15-10-1937, citée, C, p. 184.

sa confiance en Dieu et sa paix intérieure demeuraient inaltérées. — Les grilles du Carmel, elle le savait, sont là non pour *protéger* du monde, mais pour *attirer* la douleur et les besoins du monde dans la solitude de l'âme avec Dieu. — Seul le souci de devenir pour sa Communauté une charge et une occasion de représailles lui était une souffrance parfois intolérable. Aussi sa Mère Prieure lui fit-elle un devoir d'obéissance de ne pas y arrêter sa pensée.

Deux incidents, à propos du « vote » des Carmélites [11], ont donné l'éveil de part et d'autre : la première fois, il s'agissait de : « *dire Oui au Führer* » et les affiches invitant au plébiscite couvraient toute la ville. Sœur Bénédicte était déchue du droit de vote en qualité de non-aryenne. Elle resta donc au monastère tandis que ses sœurs s'en allaient voter. Avant la fin de la journée, deux messieurs se présentaient au parloir du Carmel. Ils avaient établi, selon leurs listes, que seule le docteur Edith Stein ne s'était pas acquittée de son devoir civique, sans doute, insinuèrent-ils, en raison de quelque malaise ? et ils s'offraient à la conduire en ville en auto. Lorsque la Mère Prieure consulta sœur Bénédicte, celle-ci jugea préférable de ne pas dévoiler son identité juive. On ne trouva pas d'autre motif de refus. « Alors, dit-elle simplement, si ces messieurs attachent un tel prix à mon "non", je ne puis le leur refuser ! » et elle les suivit sans plus.

Le second incident, en date du 10 avril 1938, fut plus grave de conséquences. Il ne subsistait plus aucun doute quant à la politique antichrétienne de Hitler. On vivait sous un régime de terreur et d'exception. La police d'Etat avait déjà arraché quantité de religieux à leurs couvents. Le Carmel de Cologne s'attendait au pire. Les amis du monastère et la majorité des Carmélites étaient d'avis de s'abstenir aux élections : quelques voix de plus ou de moins ne changeraient rien à l'état des choses et le meilleur parti leur semblait être celui de passer inaperçus, de se faire oublier.

---

11. Nous nous conformons au récit de la Mère Prieure de Cologne, pp. 91 et suivantes.

Mais sœur Bénédicte, habituellement si douce et soumise, s'éleva avec véhémence contre une telle conception :

Elle adjura ses sœurs de voter contre Hitler, quelles que soient les conséquences d'une telle attitude pour la Communauté et pour chacune d'entre elles. Elle leur représenta avec force que Hitler était l'ennemi de Dieu et entraînait l'Allemagne avec lui dans un abîme de mal. Elle parlait avec ardeur, violence presque, oubliant toute réserve. Cependant la Communauté restait hésitante sur le parti à prendre et le trouble régnait parmi les sœurs. Au matin du jour fixé pour le vote, dès huit heures, une délégation officielle se présenta au Carmel, apportant une urne et les listes nécessaires et demandant à s'installer au parloir pour recueillir les suffrages. La Mère Prieure marqua sa surprise devant ce comportement inattendu. Mais le chef de délégation lui dit que le gouvernement du Reich, connaissant les règles de clôture rigoureuses des Carmélites, avait décidé de faire voter les religieuses en leur couvent. La Prieure fit remarquer que, bien que le vote fût secret, il s'agissait de poser un acte public en se rendant en ville et de donner ainsi un exemple de patriotisme. Jusqu'ici les Carmélites ne s'y étaient pas dérobées et elles s'expliquaient mal le sens d'un vote à domicile.

Comme toute discussion s'avérait vaine, l'appel des noms eut lieu au parloir et le vote suivit. A la fin, le président fit remarquer que deux sœurs manquaient au scrutin :

— Anne Fitzeck ?

— Elle n'est pas apte au vote, répondit la Prieure.

— Pour quelle raison ?

— C'est une malade mentale.

Il y eut une courte pause, puis vint la question redoutée : « Et le docteur Edith Stein ? Née en 1891, elle possède, bien entendu, les droits civiques ? »

La réponse vint froidement : « Elle n'est pas aryenne. »

Les trois hommes sursautèrent, l'un d'entre eux s'écria : « Inscrivez immédiatement : non-aryenne », puis ils quittèrent le monastère.

Mise au courant de l'incident, sœur Bénédicte revint

aussitôt à ses projets d'expatriement. Elle songeait alors au Carmel de Bethléem, où avait vécu une sainte petite converse : sœur Marie-de-Jésus-Crucifié. Mais la plupart des sœurs ne pouvaient se résoudre à croire la séparation inéluctable. C'est alors que l'annonce des événements du 9 novembre précipita la décision. La synagogue de Cologne avait été brûlée, les Juifs pillés et pourchassés sans merci de par la ville ! Les récits de quelques amis juifs remplirent les Carmélites d'horreur. Sœur Bénédicte parut comme interdite de douleur : « *C'est l'ombre de la Croix qui s'étend sur mon peuple* », dit-elle. « Oh ! s'il venait à se rendre à la raison ! C'est l'accomplissement de la malédiction que mon peuple a appelée sur lui. Caïn doit être châtié, mais malheur à celui qui portera la main sur Caïn ! Malheur à cette ville, à ce pays, à ces hommes, sur qui pèsera la vengeance divine pour tous les outrages qui seront commis envers les Juifs [12]. »

Devant l'impossibilité d'obtenir les autorisations nécessaires à un départ en Palestine, et prise d'une crainte grandissante d'attirer des représailles sur sa Communauté, sœur Bénédicte obtint de sa Mère Prieure qu'elle écrivît au Carmel d'Echt, en Hollande. Les deux Carmels avaient correspondu fréquemment au moment des fêtes jubilaires.

« Sœur Bénédicte, disait la lettre, a grand besoin d'un changement d'air pour des raisons de santé. » La Communauté comprit aussitôt ce dont il s'agissait et invita cordialement la sœur malade à séjourner à Echt. Les préparatifs du voyage se firent en secret, durant la période de l'Avent de 1938.

Sitôt passées les fêtes de Noël, un médecin, ami du Carmel, s'offrit à conduire la moniale en Hollande. Les sœurs envisageaient un prompt retour. Sœur Bénédicte, elle, croyait à une séparation définitive et elle ne le cacha pas. Jusqu'à la fin, elle demeura calme et forte. Mais devant une sœur ancienne, qui lui fit ses adieux en pleurant, la remerciant de ses « bons exemples », elle laissa paraître son émotion et répondit simplement : « Ne parlez pas ainsi, c'est moi

---

12. Cité, C, p. 194.

qui remercie Dieu d'avoir permis cette halte parmi vous. »
Elle quittait son Carmel comme elle y était entrée : dans
l'action de grâces. Une fois encore, avant de fuir l'Allemagne,
sœur Bénédicte alla s'agenouiller dans le sanctuaire de Sie-
benburgen aux pieds de la Vierge miraculeuse, la Vierge
de la Paix. Puis les voyageurs franchirent la frontière, de
nuit et par le brouillard, pour arriver au Carmel d'Echt
le lendemain soir, 31 décembre, vers huit heures. La Communauté rassemblée accueillit l'exilée à bras ouverts. Les sœurs
furent frappées, dès l'abord, des manières toutes simples de
la nouvelle venue, de sa droiture, de sa bonté.

« Ce soir-là, disent-elles, ses traits étaient empreints de
gravité et de douleur, mais nous avons été conquises d'emblée
par sa délicatesse et son grand cœur [13]. »

Nous avons voulu ajouter à ce chapitre le portrait tracé
par un ami de la philosophe et de la Carmélite, après une
visite au Carmel de Cologne. En conclusion, nous donnons
quelques lignes d'une conférence faite par Edith Stein, dont
les mots prennent toute leur valeur à la lumière de son
oblation.

EDITH STEIN :
SŒUR THERESE-BENEDICTE DE LA CROIX [14]
RELATION DE DOM FEULING

Je dirai tout d'abord sa manière d'être humaine. Ce qui me
parut remarquable en sœur Bénédicte c'est la vue large et haute
qu'elle avait de toute chose, une vue dominatrice, élevée au-dessus
des passions et de la sensibilité. Elle était animée d'un grand élan
qui la portait à chercher toujours le sens le plus profond de l'existence et de l'existant. Elle fut constamment poussée, dans ses
études, son enseignement, sa vie, à retrouver les principes premiers
de l'être, les relations entre la créature et le monde créé...

_____

13. C, p. 196.
14. Relation de dom Daniel Feuling, O.S.B., *Frauenbildung und
Frauenberufe,* pp. 173-176, Schnell und Steiner, Munich, 1953.

... Une vision des choses claire et pénétrante s'alliait en elle, de façon exceptionnelle, à une très vive sensibilité. Son élan intérieur la conduisit bientôt à sortir des ombres de l'Ancien Testament pour pénétrer, par la connaissance et l'amour, dans la lumière de l'Evangile de Jésus, et se cacher enfin au cœur même de l'Eglise.

Si je voulais essayer de définir son caractère en des termes courants, je dirais que le trait dominant de sa personnalité était son attrait vers la philosophie. Mais qu'est-ce donc que la « philosophie », sinon l'amour de la sagesse ? C'est la recherche de la vérité, la découverte des rapports mystérieux entre l'être et la vie ; une compréhension plus étendue, plus lumineuse des choses, à laquelle l'homme essaie laborieusement d'atteindre. Cette soif de vérité, cet amour de la sagesse étaient chez elle comme une seconde nature.

... Une fois entrée au Carmel, lorsque des supérieurs clairvoyants l'autorisèrent à poursuivre ses travaux, elle accueillit cette permission avec reconnaissance, persuadée de faire ainsi une œuvre bonne. Elle demeurait philosophe sous l'habit de Carmélite.

LA CARMELITE

Sœur Bénédicte, je ne l'ai vue qu'une fois, si je puis m'exprimer ainsi puisque les règles de clôture l'obligeaient à rester voilée de noir. Si j'avais pu me douter qu'un jour on me demanderait mes souvenirs, j'aurais sollicité une dispense afin de la voir et surtout de rencontrer son regard.

Ma présente description se trouve donc bornée à deux facteurs d'appréciation : sa parole et le son de sa voix. Voici l'impression que j'ai retirée de ma visite au Carmel de Cologne :

Sœur Bénédicte me sembla mûrie en un triple sens : épanouie dans ses ressources d'humanité, affermie dans sa foi, confirmée dans sa personnalité par son appartenance totale à Dieu.

Ce don qui la caractérisait d'unir harmonieusement une sensibilité vibrante et une intelligence lucide avait encore grandi. Elle me parut toute spiritualisée : comme si les rayons de l'esprit avaient pénétré les couches inférieures de la sensibilité, illuminant, clarifiant, apaisant jusqu'à la part la plus affective de sa personne.

En ce qui concerne le domaine religieux, elle s'était développée. Elle, qui luttait autrefois pour la défense des valeurs spirituelles, au milieu d'un cercle brillant de contemporains célèbres, se trouvait comme cachée, enfouie profondément dans une vie qui était connaissance expérimentale de la vérité. Elle avait dépassé le plan des discussions entre les formes diverses de systèmes philosophiques ou de croyances religieuses, il ne s'agissait plus pour elle de chercher la vérité, mais d'en vivre. Elle était passée au-delà des choses, elle les regardait désormais à partir de la foi divine. Au-dessus du mode humain de la science philosophique et du savoir de la théologie, elle était parvenue à ce degré de connaissance expérimentale, obscurément éprouvée, que saint Thomas rattache aux dons du Saint-Esprit.

J'en viens ainsi au troisième aspect, celui de la croissance de sa vie intérieure. J'étais en présence d'une âme donnée, toute livrée à Dieu. Si le but premier de la grande Thérèse d'Avila est de mener ses filles par la voie de la contemplation à la vie mystique et à l'union avec Dieu, j'ose affirmer que sœur Bénédicte marchait dans ce chemin d'un pas affermi. Elle paraissait à l'aise dans sa vie du Carmel et j'ai été frappé de l'accent de sincérité et de joie avec lequel elle m'exprima son bonheur d'être devenue Carmélite.

Lorsque je pris congé d'elle je le fis avec la joyeuse conviction qu'elle avait bien fait de viser si haut et de choisir une vie rigoureusement cloîtrée afin d'y être plus intimement unie à Dieu par le lien des vœux.

Je suis convaincu qu'elle n'a cessé de grandir. Lorsqu'elle dut quitter son Carmel de Cologne pour chercher refuge en un autre monastère de son Ordre; lorsque la méchanceté des hommes et leur haine de Dieu sont venues l'arracher au silence du cloître pour lui faire gravir un long calvaire, obscur et douloureux, elle était plus que jamais dans sa vocation. Dieu, dans les desseins de son amour, aura voulu la conformer ainsi à l'idéal vers lequel elle tendait de toutes les forces de son être : faisant d'elle une véritable épouse, totalement consacrée, une Carmélite en vérité [15].

Ces lignes d'Edith Stein sur la *Vocation de la femme* viennent compléter le témoignage de dom Feuling :
Résumant en quelques mots le sens d'un don plénier à

---

15. *Frauenbildung und Frauenberufe,* p. 124, chez Schnell und Steiner, Munich, 3ᵉ édition, 1953.

Dieu, Edith Stein exposait, avant même son entrée au Carmel, comment il fallait entendre le vocable *d'épouse du Christ, sponsa Christi* :

« Elle se tient debout à Ses côtés, comme l'Eglise et comme la Mère de Dieu, qui est l'Eglise dans sa forme parfaite. Elle se tient là, pour aider aux travaux de la Rédemption. Le don total de son être et de sa vie la font entrer dans la vie et les travaux du Christ, lui permettant de compatir et de mourir avec Lui, de cette mort terrible, qui fut pour l'humanité la source de la vie. Ainsi l'épouse de Dieu connaît-elle une maternité surnaturelle, qui embrasse l'humanité rachetée tout entière, soit qu'elle prenne part active à la conversion des âmes, soit qu'elle obtienne par son immolation les fruits de la grâce pour ceux qu'elle ne rencontrera jamais humainement. »

CHAPITRE XIV

DERNIERE ETAPE :
LE CARMEL D'ECHT EN HOLLANDE

Les fêtes jubilaires de 1937, par lesquelles le Carmel Regina-Pacis à Cologne avait célébré le troisième centenaire de son établissement, furent l'occasion de resserrer les liens d'amitié entre monastères. D'abord avec les douze fondations de Cologne, puis avec le Carmel d'Echt en Hollande. C'est dans ce petit village du Limbourg hollandais que les Carmélites avaient cherché refuge au moment du « *Kulturkampf* », emportant avec elles tout ce qu'elles purent sauver du monastère primitif. Quelque temps après, la Mère Prieure avait acquis un terrain et fait bâtir un petit couvent et une chapelle. Les sœurs étant allemandes avaient reçu des sujets allemands pour la plupart et conservé l'usage de leur langue maternelle. Cependant, le vent du nazisme soulevant un peu partout des courants d'opposition nationaliste, ordre avait été donné aux monastères d'origine allemande, érigés en Hollande, d'adopter la langue du pays. A l'arrivée de sœur Bénédicte, la Communauté comprenait treize sœurs de chœur, dont dix allemandes, et quatre converses allemandes, et le caractère national du Carmel restait très marqué. Sœur Bénédicte se mit aussitôt à l'étude du hollandais, ajoutant ainsi une septième langue à ses connaissances linguistiques. Elle ne fut pas longue à s'acclimater, ni à faire la conquête des sœurs. En récréation, elle se montrait à la fois grave et gaie, sachant rire à l'occasion et communiquer la joie. Elle racontait volontiers les étapes de sa vie mouvementée. Bientôt chargée d'aider la sœur tourière, Marie-Pia, originaire de Westphalie, elle se lia d'amitié avec elle et, plus tard, l'arrivée de Rose Stein à Echt, après de multiples péripéties, vint compléter l'équipe : Rose travaillant au Tour de l'extérieur [1]. Les deux sœurs rendirent ainsi de réels services à leur nouvelle Communauté. Elles avaient gagné les cœurs par leur simplicité, leur allant et une profonde charité. Sœur Bénédicte supportait avec peine d'entendre critiquer les Juifs, prenant toujours leur défense. Elle disait souvent que Juifs et Jésuites servent de « boucs émissaires » auxquels on attribue facilement tous les torts.

Sa fidélité à l'égard du peuple élu n'avait rien de provocant. Toujours prête à répondre, avec patience et mesure, aux questions qui lui étaient posées, elle n'était vraiment comprise que de ceux qui, comme elle, savaient adorer les voies impénétrables de Dieu sur Israël, sans se laisser dérouter par les événements passagers.

Car, vraiment libre, elle passait à travers les apparences contradictoires pour s'adresser avec paix à la Source de tout être créé, en la Personne du Verbe incarné et Dieu répondait à cet appel confiant, lui découvrant les profondeurs de son mystère, augmentant en elle la joie d'appartenir à ce peuple qui, de longue date, l'adorait sous le nom de Dieu d'Abraham, d'Isaac et de Jacob. Cette joie illuminait sœur Bénédicte d'une lumière paisible lorsqu'elle parlait des Juifs, elle éclairait son beau regard sombre ; plus tard, sans doute, elle baignera de ses rayons la voie douloureuse.

Au cours de l'année 1939, Erna Stein, quittant Breslau, s'embarquait pour les Etats-Unis avec toute sa famille. Au grand regret de sa sœur, elle dut renoncer à passer par la Hollande, les risques que comportait toute demande de visa paraissant trop grands. Sœur Bénédicte accueillit avec

---

1. Ce terme de « Tour » indique tout ce qui concerne les relations du monastère avec l'extérieur : achats, porterie, réception, etc.

d'autant plus de gratitude l'heureuse arrivée de Rose, durant l'été de 1940. Celle-ci, après avoir séjourné quelque temps au Tour du Carmel de Cologne, ajoutant foi au message d'une dame belge qui demandait des sœurs pour fonder une petite communauté, était partie pour la Belgique avec ses biens. Se trouvant aux prises avec une aventurière, elle eut beaucoup de mal à se libérer et à franchir la frontière de Hollande. Elle y parvint, non sans peine, mais ce fut au prix de l'abandon de ses bagages. Elle perdait ainsi tout son avoir et ses souvenirs de famille. Quand elle se présenta au Carmel d'Echt, elle ne songeait guère à s'en plaindre. Elle était la première à rire de la rapidité avec laquelle s'était effectué le dépouillement total. Très compétente et travailleuse, elle rendit d'immenses services à la porterie du Carmel. Elle était de bon jugement et d'un dévouement inépuisable. Comme sa sœur, elle passait de longues heures en silence, près de Jésus caché au Tabernacle.

Bientôt autorisée à reprendre ses travaux intellectuels, comme en témoigne le message ci-dessous [2], sœur Bénédicte

----

2. Carte postale envoyée par sœur Thérèse-Bénédicte à Mme Conrad-Martius, du Carmel d'Echt, en Hollande, le 5 novembre 1940 :

« Pax Christi !

« Votre bonne lettre du 26 avril est arrivée si peu de temps avant la fermeture des portes (sans doute la fermeture des frontières après l'invasion), que je n'ai pu vous remercier. Pendant longtemps nous nous sommes contentées d'utiliser des cartes de correspondance pour des nécessités absolues. Mais voilà que je puis adresser un signe de vie dans divers lieux, où l'on se préoccupe de nous.

« Nous avons continué à mener notre vie sans être dérangées. Rose est maintenant portière... et tertiaire de notre Ordre depuis le mois de juin. Serait-il possible de m'envoyer le livre ? (Un livre de Mme Conrad-Martius qui venait de paraître.) Depuis le 29 septembre nous avons une nouvelle Mère (Prieure) et celle-ci aimerait que je recommence à écrire. Jusqu'ici je n'ai fait que des travaux d'intérieur.

« J'ai reçu des nouvelles de Munich chaque fois que Peter Wust devait subir une nouvelle intervention chirurgicale, puis l'annonce de sa mort, et son mot d'adieu à ses étudiants. Nous lisons le récit de sa vie par lui-même au réfectoire. Savez-vous où se trouve Anna Reinach ? Je ne sais rien de personne. Sans doute Hans L. (Lipps) fait-il toute la guerre ? Où peuvent être ses enfants ? Et Ingarde, et ses quatre fils ? Nous avons eu des mirabelles en quantité cette année et fort belles ! Nous le devons à votre cher Hans et à ses

termina l'index de son livre *Endliches und ewiges Sein* (*Etre fini et Etre éternel*). Puis elle composa en moins d'une année son étude sur la vie et la doctrine de saint Jean de la Croix : *Kreuzeswissenschaft* (*Science de la Croix*). Elle en rédigeait la dernière partie au jour de son arrestation.

Elle essayait, en cet ouvrage, de souligner l'unité existante entre la doctrine et la vie du saint, ou, comme elle l'écrivait, entre « la théologie de la Croix et l'expérience de la Croix... »

Sœur Marie-Pia nous raconte que le 2 août 1942, sœur Bénédicte travaillait encore au manuscrit. Elle avait consacré tous ses moments libres à cette œuvre, poursuivant sa rédaction une partie de ses nuits. Peut-être pressentait-elle que ses heures étaient comptées...

Mais sœur Marie-Pia se hâte d'ajouter que jamais sa vie religieuse n'en souffrit : « Elle quittait sa cellule un peu avant la cloche pour descendre à Matines et se levait souvent avant le réveil. On pouvait la voir, par la fenêtre ouverte, prier silencieusement, les bras en croix. Rose et sœur Bénédicte passaient ainsi chaque jour de longues heures à prier. Sans doute y étaient-elles poussées non seulement pour satisfaire à leur attrait personnel, mais encore pour intercéder près de Dieu, comme autrefois Esther et Judith. Elles priaient avec un amour intense afin de désarmer la justice divine et d'obtenir miséricorde pour les victimes et pour leurs bourreaux...[3] »

On peut appliquer à la puissance d'intercession de telles âmes le beau texte où S.S. Pie XI souligne la valeur de la prière contemplative : « Par le suprême martyre du cœur, l'âme aimante véritablement attachée à la Croix avec le Christ acquiert, pour elle-même et pour les autres, des fruits plus abondants de rédemption. En vérité, ce sont ces âmes très pures et très élevées, qui, par leur souffrance, leur amour, et leur prière, exercent en silence dans l'Eglise l'apostolat

---

précieux conseils (Hans Conrad-Martius avait envoyé à la Carmélite des indications concernant la culture des mirabelles), nous l'en remercions beaucoup ! Tendrement vôtre. » B. (Ex. : Echt, Hollande, Limbourg, Bohenstraat 48).

3. Cité, C, p. 203.

le plus universel et le plus fécond. » (Enc. : *Umbratilem,*
1934).

Tandis que la guerre se déchaînait sur l'Europe, une ère
de persécution s'ouvrait pour les cloîtres situés sur le passage
des hordes hitlériennes. Les Carmélites de Luxembourg
furent ainsi chassées de leur monastère et celui-ci devint un
club avec salle de danse et piscine, pour les jeunesses nazies.
En Allemagne, le pillage des couvents était chose habi-
tuelle. Le Carmel de Cologne attendait donc chaque jour
une descente de police suivie d'une évacuation en règle. La
correspondance animée entre les deux monastères fut interrompue par l'ouverture des hostilités et l'invasion de la Hollande. Par mesure de prudence, la Mère Prieure de Cologne
fit détruire les traces du passage d'Edith Stein et de son
départ pour la Hollande. C'est ainsi que presque toutes ses
lettres furent brûlées. L'une d'elles échappa par hasard à
cette destruction. Elle était adressée à une collègue d'université, une amie du « docteur Stein », qui l'avait rejointe
au Carmel deux mois après son entrée. Datée du 16 mai 1941,
et destinée à encourager la jeune sœur dans ses travaux,
cette lettre est un vivant reflet de l'état d'esprit de sœur
Bénédicte. Après avoir donné à sa sœur quelques conseils
pratiques et bibliographiques, elle ajoute :

« ... Au demeurant ce qui importe c'est l'aide du Saint-
Esprit. Je le prie volontiers pour vous et vous demande de
faire de même en ce qui me regarde, car je ne connais pas
d'autre appui. Dans mon nouveau travail (la rédaction de
Kreuzeswissenschaft) je me comporte comme un tout petit
enfant qui fait ses premiers pas. Que le Saint-Esprit vous
vienne en aide ! Non seulement en ce qui touche à votre
étude, mais encore dans les moments de crise que vous devrez
forcément surmonter. Aucune création de l'esprit ne voit
le jour sans de grandes souffrances. Il semble parfois que
toute notre personne y passe. Et en ce domaine, nous ne
pouvons guère nous écouter.

« ... En soi, il est bon d'être tenue par la Règle et les
devoirs quotidiens. C'est là un verrou à notre porte, qui

empêche de nous laisser prendre et « manger ». Mais l'équilibre ne se fait pas sans peine ni sans qu'il en coûte. Je serais bien heureuse si je pouvais aborder ces problèmes avec vous de vive voix. Il faut nous dire que ce n'est pas « par hasard » que nous en sommes empêchées. Et il faut remercier pour notre union si profonde en ce royaume qui ne connaît ni les limites, ni les frontières, ni l'absence, ni la séparation.

« Depuis peu, nous avons une postulante. Et je pense à nos premières années dans l'Ordre, à cette merveilleuse conduite de la grâce que signifie tout accès au Carmel. Peut-être l'histoire de chacune des âmes après son entrée est-elle plus merveilleuse encore ? Elles sont cachées si profondément dans le cœur de Dieu. Et ce que nous croyons saisir parfois, touchant l'une ou l'autre, n'est qu'un fugitif reflet de ce qui demeure le secret de Dieu jusqu'au jour où tout nous sera découvert. C'est ma grande joie que l'espérance de cette clarté à venir. Que la foi en cette histoire des âmes, intime et mystérieuse, nous soit un réconfort, lorsque ce qui apparaît, en nous ou chez les autres, menace de nous décourager... [4] »

Une autre lettre, celle-ci datée de septembre 1941, nous marque dans quel esprit elle voyait approcher la persécution :

« ... Il est bon de nous souvenir en ces jours que la pauvreté consiste même à nous voir privées de notre clôture. Nous, nous nous sommes engagées à demeurer cloîtrées, mais Dieu ne s'est pas engagé, Lui, à nous laisser toujours à l'intérieur de nos murs. Il n'en a pas besoin, car il possède d'autres murailles pour nous protéger. C'est comme pour les sacrements. Ceux-ci représentent une grâce inestimable. Jamais nous ne les recevrons avec assez d'ardeur. Mais Dieu n'est pas lié par les sacrements. Si nous en étions privées par la contrainte, Dieu saurait nous dédommager de façon surabondante et Il le ferait avec d'autant plus de munificence que nous aurions été plus fidèles à les recevoir jusque-là...

« Ainsi, est-ce pour nous un devoir que d'observer aussi

---

4. Cité, C, p. 206.

consciencieusement que possible nos règles de clôture, puis de demeurer paisibles, cachées en Dieu avec le Christ. Si nous sommes fidèles sur ce point, serions-nous jetées à la rue, que Dieu enverrait ses anges pour nous garder, et leurs ailes invisibles nous environneraient plus sûrement que les murailles les plus épaisses et les plus hautes. Nous pouvons prier, bien sûr, pour que cette conjoncture nous soit épargnée, mais nous devons toujours ajouter avec sincérité : que Votre volonté soit faite et non la mienne... [5] »

Depuis l'avènement de Hitler, Edith Stein n'avait cessé de mettre ses élèves, ses amis, puis ses sœurs, en garde contre le régime de la dictature. Elle ne s'était jamais fait d'illusion sur une amélioration possible. Jamais non plus elle ne s'était crue « à l'abri » au Carmel. Cependant elle prit tous les moyens de la prudence humaine pour se soustraire aux poursuites de la Gestapo. Devant la marche accélérée des événements, au récit des atrocités multipliées à travers l'Europe « occupée », elle prit le parti de préparer une seconde fuite.

Après réflexion, elle se tourna vers la Suisse, où elle comptait des amis fidèles et influents. Elle écrivit à deux personnes sûres, leur demandant de pressentir le Carmel du Pâquier en vue d'une admission éventuelle. Si la réponse était affirmative, ces amies, elle le savait, se chargeraient des démarches officielles pour l'obtention des pièces indispensables au déplacement. L'accord de principe lui fut donné très cordialement. Les sœurs du Pâquier acceptèrent d'emblée de recevoir la réfugiée ; le supérieur, Mgr Besson, y consentit et le gouvernement fédéral fut saisi de la demande de visa.

C'était en janvier 1942. Les difficultés commencèrent peu après. Edith Stein ne voulait à aucun prix se séparer de sa sœur. Celle-ci n'étant pas religieuse mais tertiaire, on dut lui chercher un autre toit. La Mère Prieure du Pâquier parvint à la faire inviter par les Carmélites apostoliques de Seedorf près de Fribourg. Il fallut que celles-ci obtiennent l'agrément de leur maison mère à Saint-Martin, Belleroche. Il fallut encore trouver des répondants en Suisse pour les fugitives

---

5. Cité, C, p. 204.

et que la Mère Prieure du Pâquier obtienne les renseignements nécessaires pour saisir le Chapitre conventuel de la requête faite par Edith Stein. En temps de guerre, chacune de ces démarches présentait de réelles difficultés.

Peut-être l'attention de la Gestapo fut-elle éveillée par la demande de visas pour la Suisse [6] ? Toujours est-il que les deux sœurs furent convoquées d'urgence par les bureaux de Maastricht. Le Père Provincial, Cornelius Lennissen, essaya de s'interposer. Il se présenta lui-même à Maastricht, prétextant la stricte clôture des Carmélites, et tenta de régler l'affaire. Il fut très mal reçu par la police allemande qui exigea la venue immédiate des sœurs Stein en personne. Lorsque sœur Bénédicte pénétra dans les locaux de la Gestapo, elle s'écria sous l'impulsion d'une force intérieure : « Loué soit Jésus-Christ ! » Les policiers la regardèrent, stupéfaits et sans mot dire.

Plus tard, racontant l'incident à sa Mère Prieure, elle reconnut avoir commis une imprudence sur le plan humain. Mais, ajouta-t-elle, elle s'y était sentie poussée, comme s'il lui était clairement apparu que la lutte se situait à un autre plan que celui de la vulgaire police d'Etat et de ses victimes, il s'agissait de l'antique combat entre Lucifer et Jésus. La séance fut désagréable : les policiers menacèrent Edith Stein avec violence, car sa carte d'identité ne portait pas le grand « J » attribué aux Juifs et son prénom de Sara n'y figurait pas. On lui enjoignit de faire faire « immédiatement » les démarches requises à Breslau (sa ville natale) pour remédier

---

6. Plusieurs amis d'Edith Stein nous ont exprimé leur surprise douloureuse : le péril encouru était si grave et si lentes les démarches poursuivies. N'aurait-on pu sauver les deux sœurs de façon clandestine ? N'a-t-on pas oublié trop souvent dans ces moments tragiques que l'ordre de la charité primait celui des règles établies ?

Nous n'éluderons pas ces questions, nous nous les sommes posées nous-mêmes, en compulsant les textes. Sans doute Dieu a-t-il permis des tâtonnements (qui dans la lumière de l'histoire nous paraissent des erreurs) pour en tirer sa gloire. Si nous cherchons à comprendre Edith et Rose Stein, il nous faut, à leur exemple, dépasser les faits immédiats pour nous plonger dans le mystère des conduites de Dieu.

à cet état de choses. Les fonctionnaires hollandais, qu'elle vit ensuite, lui firent très bon accueil, l'avertissant qu'elle serait sans doute convoquée à Amsterdam à la suite de cette affaire.

Tandis que l'orage s'accumulait sur sa tête, elle écrivait à une sœur de Cologne un petit mot, serein, marquant les progrès de ses études sur saint Jean de la Croix.

Au mois de mai suivant, les deux sœurs étaient effectivement convoquées par la Gestapo d'Amsterdam. Elles durent passer quelques jours en ville, logeant chez des religieuses fort accueillantes. Elles subirent d'interminables interrogatoires, remplirent d'innombrables questionnaires... Aucune explication ne leur fut donnée. Les policiers les interrogèrent brutalement, les tenant des heures debout, à trois mètres de distance d'eux... Cependant un employé, originaire de Cologne, manifesta une certaine bienveillance pour sœur Bénédicte. Il lui apprit que des bombardements aériens avaient détruit le sanctuaire de Sainte-Marie-de-la-Paix, à Cologne. L'église et l'image miraculeuse avaient été brûlées, il n'en restait rien. Au hasard des démarches, Edith Stein eut la joie de retrouver une de ses amies et filleules, Alice Reis, qui était, elle aussi, l'objet des sollicitudes excessives de la Gestapo. Elles devaient se revoir une dernière fois dans le camp des déportés...

A ce moment, Edith Stein comprit en son cœur que les démarches en Suisse n'aboutiraient pas à temps pour la sauver du péril. Elle fit une tentative de plus, écrivant en Espagne afin d'essayer d'y trouver un refuge.

Les nouvelles du Pâquier étaient pourtant très bonnes : une cellule avait été préparée pour Edith durant les Quatre Temps de Pentecôte. Le Chapitre s'était réuni le 4 juillet et avait décidé d'admettre sœur Bénédicte, soit provisoirement, soit pour toujours. Le 29 juillet suivant, la Mère Prieure profita de la visite du président fédéral, le docteur Etter, pour le supplier de faire accorder les papiers nécessaires et le président avait promis de prendre l'affaire personnellement en main. De son côté, sœur Bénédicte attendait dans la paix, comme en témoigne ce dernier message, qu'elle adressa au Carmel de Cologne au mois de juin :

« Depuis des mois, je porte sur mon cœur un verset de l'Evangile selon saint Matthieu, x, 23. *Lorsqu'on vous poursuivra dans cette ville, fuyez dans une autre. En vérité, je vous le dis, vous n'aurez pas achevé de parcourir les villes d'Israël avant que le Fils de l'homme ne soit venu.* Les démarches suivent leur cours avec le Pâquier. Pour moi, je suis tellement absorbée par l'œuvre de saint Jean de la Croix que tout le reste me devient indifférent. »

C'est dans la conclusion de son étude du *Cantique spirituel* de saint Jean de la Croix, que sœur Bénédicte, cessant de s'effacer derrière son maître et père, nous livre sa pensée sur le mystère de la Croix. On peut, en ces lignes, lire tout son destin : discerner la lumière de la Croix à laquelle s'éclairera la nuit mystérieuse de sa fin.

... Jésus-Christ se déclare pour l'âme quand Il engage sa vie pour la sienne dans le combat contre ses ennemis qui sont aussi les siens. Il chasse Satan et tous les esprits mauvais, là où Il les rencontre personnellement. Il arrache l'âme à leur tyrannie. Il découvre sans ménagement la méchanceté humaine quand elle s'oppose à Lui de manière aveugle, sournoise, endurcie. Par contre, tous ceux qui, reconnaissant leur culpabilité, confessent leur péché avec repentir et implorent leur délivrance, Il leur tend la main, mais Il exige d'eux qu'ils Le suivent sans conditions, et renoncent à tout ce qui s'oppose en eux à son Esprit. Ce faisant, Il suscite la rage de l'enfer et la haine de la méchanceté et de la faiblesse humaines, qui vont se déchaîner jusqu'à Lui préparer la mort sur la Croix. C'est alors qu'Il acquitte, dans les suprêmes tortures du corps et de l'âme, et plus encore dans la nuit de l'abandon du Père, les dettes accumulées envers la justice divine par les péchés des hommes de tous les temps, et qu'Il ouvre les écluses de la miséricorde du Père sur tous ceux qui ont le courage d'embrasser la Croix et le Crucifié. En eux se déversent sa vie et sa lumière divines, mais celles-ci ne cessant d'anéantir tout ce qui leur fait obstacle pourront paraître d'abord causer la nuit et la mort. C'est la nuit obscure de la contemplation, la mort crucifiée du « vieil homme ». Plus la sollicitation de l'amour divin se fait puissante, plus l'âme s'y abandonne sans réserve, plus noire sera la nuit et douloureuses les affres de la mort. L'écroulement progressif de la nature humaine fait une place grandissante à la lumière surnaturelle et à la vie divine. Celle-ci va s'emparer des forces naturelles, les spiritualiser, les diviniser. Ainsi s'accomplit en quelque sorte une nouvelle incarnation du Christ dans le chrétien, et une véritable résurrection à partir de la mort de la Croix. L'homme nouveau porte en son corps les stigmates du Christ, comme un rappel de la misère du péché, de laquelle il est venu vers la vie divine, et du prix qu'il a fallu payer pour son rachat.

Il garde une douloureuse nostalgie de la plénitude de vie, jusqu'à ce qu'il lui soit permis d'accéder par la porte d'une mort corporelle véritable à la lumière sans ombre.

Ainsi le mariage spirituel de l'âme avec Dieu, but pour lequel elle a été créée, est-il acheté par la Croix, consommé sur la Croix et scellé pour toute l'éternité du sceau de la Croix [7].

Cet ouvrage, Edith Stein l'écrit à l'occasion du quatrième centenaire de la naissance de saint Jean de la Croix, et dans le désir de donner une voix à cette mer de souffrances que déchaînait la fureur des nazis : une voix et une réponse dans la lumière de Dieu.

Face à un univers bouleversé, elle pose avec lucidité le problème de l'attitude du croyant. A ceux que la douleur écrase et qui, devant la souffrance atroce de millions de victimes, risquent de tomber dans le désespoir, elle demande d'élever les yeux vers le mystère d'amour d'un Dieu crucifié pour le salut du monde.

On peut lui appliquer à elle aussi ces termes par lesquels elle caractérise saint Jean de la Croix :

Si le poète puisait son inspiration dans le trésor des images en couleurs de feu de l'Ancien Testament, le théologien se désaltérait à une source plus abondante encore. Celle qui est ouverte à l'âme unie au Christ et vivant de sa vie, mais seulement après son don total au Crucifié ; celle qu'elle ne peut trouver qu'au terme du chemin de la Croix, parcouru tout entier avec Lui.

Sauf saint Paul, nul n'a mieux exprimé ce message que notre saint. Il possède déjà (lorsqu'il écrit) une science de la Croix,

_____

7. *Science de la Croix (Kreuzeswissenschaft)*, pp. 240-241, Editions Nauwelaerts, à Louvain, 1950.

une théologie de la Croix, qui lui vient de son expérience la plus intime [8].

Et encore :

En fait, non seulement les quatre strophes du poème de la *Vive Flamme,* mais tout son commentaire, nous donnent l'impression d'une irruption de cette Flamme d'amour vive.

Aussi ne pouvons-nous approcher de ces mystères divins, qui s'accomplissent dans l'intime d'une âme choisie par Dieu, qu'avec une crainte révérencielle. Mais, une fois que le voile a été déchiré, il devient impossible de les taire. Nous nous trouvons là devant ce que la *Montée* et la *Nuit* (dans la rédaction que nous possédons), ne nous ont pas livré : devant l'âme parvenue au terme de son long calvaire, jusqu'à l'union béatifiante [9].

---

8. *Kreuzeswissenschaft,* p. 14.
9. *Kreuzeswissenschaft,* p. 167.

CHAPITRE XV

LE TEMOIGNAGE [1]

La question juive n'a cessé de projeter son ombre sanglante sur les rapports entre occupants et occupés. La technique nazie allant se perfectionnant, c'est par milliers de familles que les Juifs se voient arrachés à leur pays d'adoption, pour être brutalement séparés les uns des autres, disséminés à travers les camps de la mort, ou brûlés au four crématoire.

A chacune de ces mesures iniques, décrétées par le commissaire du Reich, Seyss-Inquart, la voix irrépressible des évêques de Hollande a fait entendre une courageuse protestation. C'est ainsi qu'aux ordres de chasser tout enfant juif des établissements scolaires, d'interdire l'accès des administrations publiques aux citoyens d'origine juive, bref de les mettre au ban de la cité, les catholiques hollandais, à l'instigation de leurs évêques, ont opposé une attitude de refus.

Mais voici que l'année 1942 marque le début des déportations massives vers l'Est : camps de travail, mines de sel, ou chambres à gaz, la destruction de la race sémite semble désormais assurée.

---

1. Dans l'exposé des faits et documents, nous nous conformons au récit de la Mère Prieure de Cologne, C, pp. 213 et suivantes.

Alors l'épiscopat catholique, en plein accord avec le Synode de l'Eglise Réformée, adresse à Seyss-Inquart un télégramme de protestation, le 11 juillet 1942. A la suite de la démarche, le commissaire adjoint Schmidt accorde satisfaction sur un point déterminé : le sort réservé aux chrétiens d'origine juive. Ceux-ci, pour autant qu'ils feront état de l'appartenance à une communauté chrétienne, antérieure à janvier 1941, ne seront pas inquiétés.

Toutefois la question de fond, celle des déportations massives, n'étant ni résolue ni même soulevée, les évêques catholiques, en accord avec les ministres protestants, décidèrent de rédiger en commun un message de protestation, destiné à être lu publiquement dans les églises et les temples, le dimanche 26 juillet. (Le neuvième dimanche après la Pentecôte.)

Cette lettre pastorale étant consacrée à la persécution antisémite et au service du travail obligatoire, le texte du télégramme précédemment envoyé à Seyss-Inquart y figurait et on y faisait état de l'amélioration obtenue. Quelques jours avant la publication de la lettre, Seyss-Inquart intervint auprès du président de l'Eglise Réformée, pour exiger la suppression du passage relatif à un échange de vues entre lui et les chefs de l'Eglise. Cette démarche, disait-il, avait un caractère strictement confidentiel. Au moment de donner lecture de la lettre, une petite partie des communautés protestantes supprima le texte incriminé, tandis que l'autre partie et la majorité des paroisses catholiques lisaient le mandement des évêques dans son intégrité.

Ce message rappelait solennellement les larmes versées par Jésus sur Jérusalem, qui avait méconnu l'heure de la grâce, et reprenant les propres mots de l'épître du jour affirmait avec l'apôtre que Dieu est fidèle et ne saurait permettre que l'épreuve passe les forces des chrétiens. Leur attention était appelée sur deux détresses profondes : celle des Juifs et celle des déportés du travail obligatoire.

Le passage contesté par l'autorité d'occupation se lit ainsi :

Nous désirons, chers fidèles, que vous preniez une conscience plus vive des détresses ainsi provoquées. Mais il est juste que les auteurs responsables de ces mesures de violence en pèsent, eux aussi, toutes les conséquences.

... Dans ce but, l'épiscopat catholique, de concert avec la plupart des ministres des communautés réformées de Hollande, s'est tourné vers la puissance occupante, lui adressant le télégramme suivant, relatif au sort des Juifs :

« Les soussignés... profondément émus des mesures d'exception prises contre les Juifs et tendant à les exclure de la vie commune de la cité, ont appris avec horreur la nouvelle des déportations massives de familles juives tout entières : hommes, femmes et enfants, vers des territoires de l'Est sous contrôle du Reich. La douleur qui vient ainsi frapper des dizaines de milliers d'hommes, la certitude que de telles mesures vont à l'encontre du sens moral profond du peuple hollandais, et, qui plus est, s'opposent aux commandements de Dieu regardant la justice et la miséricorde, obligent les chefs des communautés chrétiennes réunis à vous adresser un appel pressant, afin de prévenir si possible l'exécution de semblables mesures. Pour les chrétiens d'origine juive, notre demande se fait plus instante encore puisque les dispositions précitées visent à les exclure de la vie même de l'Eglise. »

Comme suite à ce télégramme, le commissaire adjoint Schmidt nous a concédé que les Juifs chrétiens, dont l'appartenance à une communauté chrétienne était prouvée antérieure à janvier 1941, ne seraient pas inquiétés.

Le message se terminait par un appel ardent à la prière et à une invincible confiance :

... Nous supplions Dieu, chers fidèles, par l'intercession de la Mère de Miséricorde, qu'Il daigne bientôt accorder au monde une juste paix. Qu'Il fortifie le peuple d'Israël si durement éprouvé et le conduise au salut par le Christ Jésus. Qu'Il se fasse le soutien de ceux, qui, arrachés à leurs affections familiales, sont condamnés à travailler au loin ; qu'Il les protège en leur âme et en leur corps ; qu'Il les garde de l'amertume et de la résignation passive, et qu'Il les fortifie dans la foi ainsi que ceux qu'ils ont dû quitter.

Supplions le Seigneur de secourir toute détresse ; celle des captifs et des otages, celle des opprimés innombrables, qui sont à présent comme écrasés par l'épreuve et menacés par la mort.

*Pateant aures misericordiae tuae Domine precibus suppli-
cantium...*

Puisse l'appel de ceux qui crient vers vous, Seigneur, frapper
l'oreille de votre miséricorde. (Oraison du IXe dimanche après
la Pentecôte.)

Donnée à Utrecht, l'an du Seigneur 1942, le 20 juillet.

Cette lettre pastorale fit sensation à travers la Hollande.
Le peuple, toutefois, demeurait inquiet des conséquences
possibles d'une déclaration si ferme. Au Carmel d'Echt, ce
message fut accueilli dans l'angoisse. Sœur Bénédicte venait
d'apprendre la déportation de son frère, Paul, avec sa belle-
sœur et leur fille, Eva, ainsi que celle de sa sœur Frieda, à
Theresienstadt [2]. On craignait le pire pour elle-même, lorsque
quelques lignes de Mgr Lemmens lui furent adressées, lui
signalant l'amélioration apparente du statut des Juifs chrétiens. On crut alors qu'elle était sauvée une fois encore.
Aussi, est-ce dans l'action de grâces que furent chantées les
premières Vêpres de Saint-Pierre-aux-Liens. Cette fête était
très chère à sœur Bénédicte. Elle avait écrit dans une lettre :
« J'aime particulièrement ce jour de l'année liturgique, non
seulement pour l'anniversaire qu'il évoque, mais parce que
les liens y sont rompus par la main des anges ! Combien de
chaînes déjà sont ainsi tombées et quelle joie lorsque les
toutes dernières seront brisées... » (Juillet 1938.)

Et voilà que les liens de la terre allaient se rompre plus
rapidement que la Carmélite ne le pensait. Car ce fut sa
dernière journée passée dans la paix du cloître. Le 2 août,
vers cinq heures de l'après-midi, Edith Stein et sa sœur Rose
étaient arrêtées et emmenées par la Gestapo.

Qu'était-il advenu ? Ordre avait été donné, le matin
même, par le commissaire du Reich, de se saisir de tous les

---

2. Aucun d'entre eux ne survécut à la déportation : M. et Mme Paul
Stein moururent à Theresienstadt, ainsi que la petite Eva ; Mme Frieda
Tworoga succomba aux mauvais traitements dans un camp de concen-
tration de Pologne, mais sa fille Erika avait pu s'échapper en temps
voulu pour gagner la Palestine. Les seuls survivants des frères et
sœurs d'Edith sont Mme Else Gordon, qui habite à Bogota, Colombie,
et Mme Erna Biberstein, à New York.

religieux et religieuses non aryens, dans les couvents de Hollande [3]. A Echt, on ne se doutait encore de rien.

La cloche sonna comme d'habitude pour l'oraison et ce fut sœur Bénédicte qui lut le point d'oraison. Les sœurs étaient réunies au chœur en silence, lorsque le timbre extérieur avertit la Mère Prieure qu'elle était appelée au parloir. La sœur tourière lui apprit que deux officiers allemands s'y trouvaient, demandant les sœurs Stein. Elle crut qu'ils apportaient enfin les permis de voyage sollicités pour la Suisse, qu'on attendait d'un jour à l'autre. (Car du côté du gouvernement fédéral toutes les autorisations requises avaient été accordées.)

Nous lisons la suite du récit dans les notes conservées par la Mère Prieure d'Echt [4] :

... Les deux sœurs Stein avaient reçu leurs permis suisses, et croyant qu'il s'agissait de quelque formalité allemande complémentaire, je pensai qu'elles pourraient régler l'affaire sans moi et les envoyai seules au parloir. Je fis sortir sœur Bénédicte du chœur, tandis que Rose la rejoignait au parloir, du côté extérieur. Je restai moi-même près de la porte, afin de guetter les nouvelles, après avoir recommandé d'un mot l'entretien aux prières des sœurs, leur disant : je crois que c'est la Gestapo... Dès les premières phrases, je compris que l'affaire était autrement grave que je ne l'avais prévu et je fus saisie de crainte. Un des officiers S.S., s'adressant à sœur Bénédicte, lui enjoignait de sortir de clôture, dans les cinq minutes.

Je l'entendis répondre : — Nous ne le pouvons pas, nos règles de clôture sont fort strictes.

— Défaites tout cela, cria le nazi (il voulait dire nos grilles) et sortez d'ici.

— Il faudra que vous m'y forciez, reprit calmement sœur Bénédicte.

Là-dessus l'homme ordonna :

— Appelez-moi la Supérieure.

Comme j'avais tout entendu, je me rendis au parloir en faisant un petit détour, tandis que sœur Bénédicte retournait au chœur.

3. On estime à trois cents le nombre de religieux ainsi arrêtés.
4. Cité, C, pp. 218 et suivantes.

Elle s'agenouilla devant le Saint-Sacrement, puis sortit en murmurant : « Priez, mes sœurs. » Elle avait fait signe à la sœur Pia, qui la suivit en toute hâte, demandant avec angoisse :

— Mais où allez-vous, sœur Bénédicte ?

— Je dois quitter la maison d'ici cinq minutes.

— Mais pour où ?

— On ne me l'a pas dit.

Alors seulement la sœur comprit qu'il s'agissait de la Gestapo. Dans l'intervalle, je parlai à l'officier nazi ; il me dit :

— Etes-vous la Supérieure ?

— Oui.

— Il faut que la sœur Stein ait quitté le monastère dans les cinq minutes.

— Mais c'est impossible !

— Mettons dix minutes, nous n'avons pas de temps à perdre.

— Mais nous faisons des démarches et les deux sœurs Stein sont attendues en Suisse, il ne leur manque plus que leurs visas allemands.

— Tout ceci sera réglé plus tard, pour l'instant la sœur Stein doit sortir d'ici, elle peut se changer ou garder son Habit, donnez-lui une couverture, un gobelet, une cuiller, et trois jours de vivres.

J'essayai de protester.

Mais le S.S. reprit :

— Si vous osiez refuser de laisser sortir la sœur Stein, vous pouvez vous représenter les conséquences qui s'ensuivraient pour votre maison.

Je dis pour gagner du temps :

— Laissez-nous au moins une demi-heure, et devant son refus, j'ajoutai : Que Dieu soit témoin que vous nous faites violence.

Puis je montai précipitamment rejoindre sœur Bénédicte dans sa cellule. Plusieurs sœurs se trouvaient déjà près d'elle, l'aidant à empaqueter ses effets. Elle me dit aussitôt : « Je vous en prie, écrivez tout de suite au consul de Suisse, à La Haye, à propos de nos permis de voyage. » La partie ne lui semblait pas encore perdue, elle conservait l'espoir de pouvoir gagner le Carmel du Pâquier. Puis elle ne dit presque plus rien, demeurant toute absorbée en esprit. Les sœurs couraient de-ci, de-là, voulant à tout prix lui préparer quelque chose à manger. Mais elle ne toucha pas aux aliments. Au-dehors, Rose attendait, agenouillée près de la porte de clôture, afin de recevoir ma bénédiction.

Lorsque les deux sœurs furent sorties du monastère, on entendit encore la voix de sœur Bénédicte expliquant à l'officier allemand leurs projets de voyage, et de départ en Suisse. Et ce fut tout. Les officiers nazis avaient attendu en silence, nous aussi, nous avions essayé d'entourer cet arrachement douloureux de tout le silence possible...

(Fin des notes de la Mère Prieure.)

La rue devant le couvent était pleine de monde. Rose Stein était connue et aimée dans le quartier. Des protestations s'élevèrent, aussitôt réprimées. Au détour de la rue, une voiture de la Gestapo attendait ; il s'y trouvait déjà plusieurs victimes. Les deux sœurs montèrent dans l'automobile, qui partit immédiatement pour une destination demeurée inconnue aux témoins du drame.

Le même jour, dans la soirée, le commissaire adjoint Schmidt faisait connaître, en un discours officiel, qu'il s'agissait là d'une mesure de représailles en réponse à la protestation des évêques de Hollande. Son discours était d'une entière mauvaise foi. Il soulignait que les communautés protestantes s'étaient pour la plupart abstenues de citer le passage de la lettre pastorale relatif aux négociations avec les autorités allemandes — dites secrètes ! Les ecclésiastiques catholiques, au contraire, refusaient de respecter le secret des négociations entreprises. De ce fait, les autorités allemandes se voyaient contraintes à « poursuivre les catholiques juifs, comme leurs pires ennemis », et de « s'assurer le plus rapidement possible de leur déportation vers l'Est ». (De Tijd, 3 août 1942.)

Mgr de Jong fit, le 23 août, une mise au point énergique, au nom de l'épiscopat de Hollande. Il déclara qu'un échange de télégrammes en clair, par la poste ordinaire, ne présentait aucun caractère confidentiel, que l'allusion à de pseudo-négociations interrompues était un pur mensonge, et que beaucoup de communautés protestantes avaient donné, elles aussi, la lecture intégrale du message épiscopal. Il suppliait enfin l'autorité occupante de suspendre les représailles exercées contre les catholiques et religieux juifs en Hollande et de leur accorder le bénéfice de la mesure de clémence qui avait été prévue. Cette demande fut réitérée avec courage, par télégramme, le 27 août.

Mais le Reichs-Komissar laissa ces deux interventions sans réponse. Plus tard, lorsque le révérend père Hopster, S.V.D. de Venlo, publia la relation historique des faits, il ajoutait en conclusion : « Après avoir entendu les explications du commissaire Schmidt, on peut estimer que les religieux et les religieuses ainsi appréhendés sont morts en témoins de la foi. Leur arrestation s'est faite en haine de la parole de nos évêques. Ce sont donc les évêques et l'Eglise qui étaient visés et atteints par la déportation des religieux et catholiques d'origine juive [5]. »

LES DERNIERS JOURS

Les sœurs du petit Carmel d'Echt étaient en proie à l'angoisse de l'attente, lorsque, le 5 août, deux messages télégraphiques, identiques en leurs termes, parvenaient à leur couvent et à celui des Ursulines de Venlo. Ces télégrammes provenaient du village de Westerbork, situé au nord de la Hollande, près de la station ferroviaire de Hooghalen. Ils émanaient de la municipalité et demandaient au nom des absentes des vêtements chauds, couvertures et médicaments.

Chacune des moniales voulut contribuer pour sa part au colis. La salle du Chapitre fut bientôt transformée en véritable magasin. Finalement, on réunit les vivres, couvertures, médicaments, livres, bougies, etc., en un gros paquet. On y joignit une petite image retrouvée dans la cellule de sœur Bénédicte. Celle-ci avait inscrit au verso sa volonté de s'offrir en holocauste pour la conversion des Juifs. Ainsi disparut un précieux souvenir.

Deux jeunes gens d'Echt acceptèrent de porter ce colis

---

5. Nous donnons en annexe le détail des pertes juives en Europe, publié dans la Documentation Catholique, au printemps 1952, d'après les déclarations officielles des autorités allemandes.

ainsi que le courrier du Carmel. Nous possédons la relation
de leur visite au camp des déportés et celle des messagers
envoyés par les Ursulines de Venlo. Nous en donnons des
extraits, sans rien changer à la simplicité du témoignage :

Nous sommes arrivés à cinq heures juste, à la station de Hooghalen, nous y avons rencontré les deux hommes envoyés par le couvent de Venlo vers Mlle Ruth Kantorowicz [6]. (C'était le 6 août.)

Le camp, composé de milliers de baraques, est situé à quelque
cinq kilomètres de la gare. A l'entrée se trouve un bâtiment,
occupé par la police hollandaise, à laquelle nous avons dû nous
présenter. Nous avons remis nos télégrammes, ainsi que des
cigares et des cigarettes, et bientôt nous échangions des propos
amicaux avec les policiers, qui remplissent avec répugnance leur
devoir de surveillance.

A notre requête, les officiers de service ont envoyé un petit
gamin juif vers la baraque où se trouvaient sœur Bénédicte et
Mlle Rose. Après quelques instants d'attente anxieuse, nous avons
vu se soulever le large portail de barbelés, et nous avons aperçu
au loin l'Habit brun et le voile noir de sœur Bénédicte, que Rose
accompagnait.

La police hollandaise parut extrêmement surprise d'apprendre
que des religieux se trouvaient dans le camp et elle ne fut convaincue que par la présence effective de sœur Bénédicte.

La rencontre fut aussi poignante que joyeuse. Nous nous sommes
serré la main et l'émotion était si vive que les mots avaient peine
à sortir du gosier. Nous avons remis à sœur Bénédicte tout ce dont
nous étions chargés, elle semblait très contente. Elle se réjouit
particulièrement des messages des sœurs et de la pensée que celles-
ci priaient pour elle.

Tous les textes écrits, et aussi la lettre de la Mère Prieure, lui
furent remis cachetés, par l'entremise de la police hollandaise.
Sœur Bénédicte raconta qu'elle avait retrouvé des parents et
connaissances dans le camp... elle décrivit le voyage qui s'était
déroulé sans incident jusqu'à l'arrivée à Amersfoort. A partir de
cette étape les prisonniers avaient subi toutes sortes de vexations
puis ils avaient été poussés à coups de crosse par les soldats SS dans

6. Celle-ci avait été arrachée au couvent des Ursulines de Venlo ;
elle était récemment convertie et sœur Bénédicte s'était beaucoup
occupée d'elle. Le document cité et ceux qui suivent figurent dans la
Biographie, C, pp. 223 et suivantes...

les dortoirs et enfermés sans avoir pu se restaurer. Cependant les Juifs *non catholiques* avaient reçu quelque nourriture. Dès le matin suivant, le transport était reparti pour Westerbork. C'est de là que les prisonniers purent envoyer des télégrammes, par l'intermédiaire du « conseiller juif » chargé de leur venir en aide. Ce conseiller était très bon, surtout pour les Juifs-catholiques. Mais, par ordre des autorités allemandes, les catholiques-juifs formaient une *catégorie à part*, parquée dans une baraque, et *pour laquelle* il était *strictement interdit au conseiller d'intervenir*.

Ce récit, sœur Bénédicte le faisait dans le calme et le recueillement. Ses yeux brillaient du mystérieux éclat de la sainteté. A voix basse, posément, elle racontait les sévices encourus autour d'elle, omettant tout ce qui la concernait personnellement. Elle désirait avant tout que les sœurs du Carmel sachent qu'elle portait encore son Habit, et que c'était son intention et celle des autres religieuses (elles étaient environ un dizaine) de le conserver jusqu'au bout. Elle dit que les autres détenus se réjouissaient de compter parmi eux des prêtres et des religieuses. Ceux-ci étaient devenus le soutien et l'espoir de ces pauvres gens, qui s'attendaient au pire.

Pour sa part, elle se déclarait heureuse de pouvoir donner aux autres la consolation d'une prière ou d'une parole. Sa foi profonde transformait l'atmosphère, autour d'elle naissait comme une zone de grâce et de paix.

A plusieurs reprises, elle insista pour que nous rassurions la Mère Prieure et les sœurs ; vraiment on pouvait être tranquille à son sujet. Elle priait presque toute la journée, en dehors du moment où il lui fallait chercher son repas. Elle n'eut pas un mot de plainte, ni pour la nourriture ni pour le traitement des soldats. Elle semblait ignorer la durée possible de leur détention dans ce camp. Le bruit courait pourtant qu'il se ferait peut-être un départ dans la journée ou la nuit du 7 août vers la Silésie, son pays natal. Elle ne savait pas si la rumeur était exacte. Un transport de Juifs venant d'Amsterdam serait arrivé, disait-on, la nuit précédente ; était-ce le signe d'une remise en route ? Elle ne le savait pas.

Les messagers ajoutaient en conclusion que Rose aussi se portait bien, trouvant force et appui dans l'exemple de sa sœur.

Le passage suivant, du rapport des envoyés de Venlo, nous livre ces quelques traits complémentaires :

... Après que les SS eurent donné le signal strident qui mettait fin aux entretiens avec les détenus, Mlle Ruth K... voulut encore nous présenter son amie Carmélite.

L'attitude de celle-ci nous frappa, tant elle était ferme et paisible. Comme nous lui exprimions bien gauchement notre sympathie, la courageuse religieuse répondit :

« Quoi qu'il arrive, je suis prête à tout. L'Enfant Jésus est ici aussi parmi nous. » Puis elle me serra vigoureusement la main, appelant sur moi et les miens la bénédiction du Seigneur. Elle ajouta qu'il ne fallait pas se faire du souci pour elle, qu'elle se savait entre les mains de Dieu.

Comme nous prenions congé les uns des autres, l'émotion nous gagna et les mots nous firent défaut. Le petit groupe s'en alla vers les baraquements, chacun des prisonniers se retournant à plusieurs reprises pour faire des signes d'adieu. Seule, la sœur Bénédicte s'en fut sans tourner la tête, marchant d'un pas égal, toute paisible et recueillie...

...Ne pouvant repartir le soir même pour Venlo, nous avons passé la nuit à Hooghalen (du jeudi 6 au vendredi 7 août). Le lendemain matin, apercevant deux hommes sur le quai de la gare, qui portaient l'étoile jaune, malgré le risque que comportait ce genre de conversation, nous les avons abordés leur demandant s'ils venaient du camp de Hooghalen. Ils nous répondirent affirmativement. Mais comme nous voulions les interroger sur la baraque numéro 7 (celle où se trouvaient Ruth K... et les sœurs Stein), ils nous assurèrent qu'un transport de nuit avait évacué tous les Juifs catholiques et les religieux du camp, vraisemblablement à destination de l'Est...

De la bouche d'un commerçant juif de Cologne, chargé de surveiller les détenus de Westerbork, et qui eut la chance d'échapper avec sa femme à la déportation, nous tenons cet éloge :

...Parmi les prisonniers qui sont arrivés le 5 août au camp (de Westerbork), sœur Bénédicte tranchait nettement sur l'ensemble par son comportement paisible et son attitude calme. Les cris, les plaintes, l'état de surexcitation angoissée des nouveaux venus étaient indescriptibles ! Sœur Bénédicte allait parmi les femmes comme un ange de consolation, apaisant les unes, soignant les autres. Beaucoup de mères paraissaient tombées dans une sorte de prostration, voisine de la folie ; elles restaient là à gémir comme hébétées, délaissant leurs enfants. Sœur Bénédicte s'occupa des petits enfants, elle les lava, les peigna, leur procura la nourriture et les soins indispensables. Aussi longtemps qu'elle fut dans le camp, elle dispensa autour d'elle une aide si charitable qu'on en demeure tout bouleversé.

Ce commerçant, Julius Markus, rapporte que s'étant adressé à elle, à propos de quelque détail insignifiant, il lui avait demandé :

« Mais vous, qu'allez-vous devenir désormais ? »

Et elle avait répondu très simplement :

« Jusqu'à présent, j'ai pu prier et travailler, j'espère bien pouvoir continuer à travailler et à prier. »

Cette halte à Westerbork semble avoir duré du mercredi matin 5 août, jusque dans la nuit du 6 au 7. Le camp comptait 1 200 Juifs catholiques au total, parmi lesquels dix à quinze religieux. Environ un millier furent déportés avec sœur Bénédicte, la même nuit.

Sœur Bénédicte réussit à envoyer deux messages au Carmel d'Echt : le premier, ne portant ni date ni indication de lieu, est ainsi conçu :

« Chère Mère,

« Lorsque votre Révérence recevra la lettre de P... (nom illisible), elle saura ce qu'il pense. Il me semble que dans les circonstances présentes il vaut mieux ne rien tenter. Cependant je m'abandonne entre les mains de votre Révérence, lui laissant le soin de décider. Je suis contente de tout.

« On ne peut acquérir une " *scientia crucis* " (Science de la Croix, c'était le titre de son dernier ouvrage) que si l'on commence par souffrir vraiment du poids de la Croix. Dès le premier instant, j'en ai eu la conviction intime et j'ai dit du fond du cœur : *Ave crux, spes unica*.

« De votre Révérence, l'enfant reconnaissante,

                                        Sœur B... [7] »

---

7. Cité, C, p. 229.

Le deuxième mit quelques jours à parvenir à destination, il a été rédigé au matin du jour où les envoyés du Carmel ont pu pénétrer dans le camp :

« J.M. Pax Christi Westerbork, Baraque 36, 6 août 1942.
    « Chère Mère,
« ... C'est demain matin que part le premier transport vers la Silésie ou la Tchécoslovaquie. Le plus utile serait : des bas de laine, deux couvertures, et, pour Rose, des sous-vêtements de laine, ainsi que tout ce qui lui restait de linge. Pour nous deux, des mouchoirs, des gants de toilette. Rose n'a ni brosse à dents, ni chapelet, ni crucifix. J'aimerais aussi le fascicule suivant de notre bréviaire. (Jusqu'à présent, j'ai pu prier magnifiquement.) Nos pièces d'identité et cartes de pain. Mille mercis, et salut à toutes ! De votre Révérence, l'enfant reconnaissante,

B... [8] »

Au consulat de Suisse à La Haye était adressé l'appel suivant, éloquent dans sa brièveté :
« Faites en sorte que nous puissions rapidement franchir la frontière. Notre monastère assumera tous frais de voyage. »
Enfin, la toute dernière nouvelle est, à notre connaissance, une petite carte griffonnée au crayon, qui parvint durant le mois d'août à une religieuse du couvent des Bénédictines de Sainte-Lioba, à Fribourg, portant ces simples mots sans indication d'origine :
« En route vers la Pologne, amitiés de sœur Thérèse-Bénédicte. »

---

8. Idem, p. 230.

CONCLUSION

Après la fin des hostilités, des nouvelles contradictoires sont parvenues aux Carmels d'Echt et de Cologne. La mort de sœur Bénédicte demeura longtemps enveloppée de mystère. Une jeune femme, élève des Dominicaines de Spire, dit qu'elle s'entendit interpeller par son nom de jeune fille sur le quai de la gare de Schifferstadt. S'étant retournée, elle entrevit la silhouette de son ancien professeur à la portière d'un wagon plombé. Mlle Stein murmura simplement : « Veuillez saluer les sœurs de Spire, dites-leur que je suis en route vers l'Est... »

L'un des chefs du mouvement de résistance en Hollande, M. Lenig, rencontra sœur Bénédicte dans le camp d'Amersfoort et il écrivit à la Prieure de Cologne que la religieuse avait selon toute vraisemblance partagé le sort de trois cents détenus : hommes, femmes et enfants, déportés vers les fours crématoires d'Auschwitz, au début d'août 1942. Il ajoutait que les convois suivaient souvent un itinéraire passant par Schifferstadt.

Mais d'autres renseignements, venant d'anciens prisonniers ou déportés, semblaient contredire ces données. Longtemps on nourrit l'espoir de voir revenir la disparue. On hésitait encore à demander pour elle les suffrages de l'Ordre lorsqu'un article parut au début de l'année 1947 dans l'*Osser-*

vatore Romano, attirant l'attention des milieux catholiques sur l'arrestation et la mort d'Edith Stein. Dans une seconde lettre adressée au Carmel de Cologne, M. Lenig souscrivait aux conclusions de l'auteur anonyme de cet article :

« ... La mort de votre sœur, écrivait-il le 8 avril 1947, peut être considérée comme certaine. Il est également sûr qu'elle a été assassinée à Auschwitz et non pas en Hollande... »

C'est alors que les Carmélites de Cologne se résolurent à faire part du décès de leur sœur aux monastères de l'Ordre, sans avoir reçu de confirmation officielle des date et lieu où fut consommée son oblation. Leur lettre circulaire, émouvante dans sa simplicité, se terminait ainsi :

« ... Nous ne la chercherons plus sur terre, mais auprès de Dieu qui a agréé son sacrifice et en a accordé le fruit au peuple pour lequel elle pria, souffrit et mourut. »

C'était la réponse de l'Eglise à l'offrande de la Carmélite.

Trois années plus tard, le *Journal officiel* de Hollande, qui publia les listes des victimes mortes en déportation, portait l'indication suivante, en date du 16 février 1950 :

N° 44 074. Edith-Teresa-Hedwige Stein.

Née le 12 octobre 1891, à Breslau.

Venant d'Echt, + (décédée) le *9 août 1943.*

Le journal du 4 mai 1950 complétait ainsi ce premier renseignement :

N° 44 075. Rose-Marie-Agnès-Adelaide Stein.

Née le 13 décembre 1883, à Lublinitz (All).

Venant d'Echt, + (décédée) le *9 août 1942.*

La Croix-Rouge hollandaise, consultée sur l'apparente contradiction, car, si les numéros matricules des deux sœurs se suivaient, les dates de leur décès semblaient éloignées d'une année entière, répondit que c'était une faute d'impression et que les deux sœurs Stein avaient effectivement dû trouver la mort dans la chambre à gaz d'Auschwitz, le 9 août 1942.

Des témoignages récents nous ont appris qu'avant le départ du convoi pour Auschwitz, les déportés subirent de fréquents interrogatoires et de multiples vexations.

Les religieuses détenues s'étaient groupées : quelques Trappistines, une Dominicaine et la Carmélite, formant une petite communauté dont la charge fut spontanément confiée à sœur Bénédicte. Celle-ci semble avoir exercé un réel ascendant sur les autres par la force de son silence profond.

Une mère de famille, qui échappa à la mort, ainsi que ses jumeaux (son fils est devenu prêtre et Dominicain), Mme Bromberg, fut bouleversée par l'attitude de sœur Bénédicte :

« Ce qui la distinguait des autres religieuses, écrit-elle, c'était son silence. J'ai eu l'impression qu'elle était triste jusqu'au fond de l'âme, mais non pas angoissée. Je ne sais comment dire, mais le poids de sa douleur semblait immense, écrasant, si bien que, lorsqu'elle souriait, ce sourire venait d'une telle profondeur de souffrance qu'il faisait mal. Elle parlait à peine, et regardait souvent sa sœur Rose avec une indicible expression de tristesse. Sans doute prévoyait-elle leur sort à toutes. Elle était la seule qui, ayant fui l'Allemagne, pressentait le pire, tandis que les Trappistines nourrissaient encore des illusions, parlant entre elles de possibilités d'apostolat.

« ... Oui, je crois bien qu'elle mesurait par avance la souffrance qui les attendait, non pas la sienne — elle était trop calme pour cela, et je dirais même : par trop calme ! — mais celles des autres. Toute son attitude, quand je la revois en esprit, assise dans cette baraque, éveille en moi une seule pensée : celle d'une Vierge des Douleurs, une Pietà sans le Christ [9]... »

Au temps de sa profession, Edith avait trouvé ces mots pour remercier une artiste qui lui avait envoyé une Pietà : « ... Le soir du vendredi saint, au pied de la Croix. La douleur de la Mère de Dieu est grande comme la mer, elle y est plongée, mais c'est une douleur contenue, dominée, elle retient fermement son cœur de la main afin qu'il ne puisse pas se

---

9. Article du R. P. Bromberg, O. P., dans *la Vie spirituelle* hollandaise, novembre 1950. (*Ons Geestelijk leven.*)

briser. La mort véritable apparaît de façon presque effrayante à la bouche entrouverte du Sauveur. Mais sa tête est tournée vers sa Mère, comme pour la consoler *et la Croix est toute lumière : le bois de la Croix est devenu lumière du Christ.* » (*Lignum crucis... lumen Christi* [10].)

Rien ne saurait ajouter à ces lignes. Les faits nus sont ici porteurs d'un drame déchirant connu de Dieu seul.

Rien, sinon peut-être ces paroles que l'Eglise met sur les lèvres du diacre Laurent, quand elle célèbre son martyre, au jour même où la Carmélite fut elle aussi sacrifiée par les bourreaux :

« Le diacre Laurent éleva la voix et dit : J'adore mon Dieu et c'est Lui seul que je sers, c'est pourquoi je ne crains pas vos tortures : *Ma nuit n'a pas d'obscurité, tout y resplendit de lumière* [11]. »

---

10. Lettre d'Edith Stein à une artiste, Pâques 1935. Cité C, p. 168.
11. Répons de l'office de saint Laurent, que l'Eglise récite le 9 août, à Matines.

ANNEXES

EXTRAIT DU JOURNAL DE SŒUR ALDEGONDE, ELEVE DE HUSSERL, 1935-1938

Automne 1935.

Husserl déclare :

« L'honnêteté intellectuelle est à la philosophie ce que la droiture de la sensibilité est à la religion. J'ai lutté ma vie durant pour préserver cette honnêteté. Oui, je n'ai cessé de combattre. Tandis que d'autres étaient satisfaits depuis longtemps, moi je continuais à m'interroger, à examiner s'il ne restait aucune apparence de malhonnêteté quelque part. Mon travail, maintenant encore, consiste à scruter et vérifier car mes élaborations sont toutes relatives. Il faut avoir le courage d'admettre qu'une chose que l'on tenait pour juste hier apparaisse une erreur aujourd'hui. Non seulement il faut l'admettre, mais encore le dire.

« Rien ici n'est absolu. J'ai dit cela voici des années à l'un de mes élèves, le père P., un franciscain. Il était très intelligent et il a cheminé à mes côtés, philosophiquement parlant, jusqu'à un certain point. Mais il n'a pas eu le courage de rebrousser chemin et de reconnaître une erreur. Même en philosophie, la seule chose valable à ses yeux était l'absolu. A partir de là, nos chemins ont divergé. »

4 septembre 1935.

Eté 1936.

Au cours de l'été, sœur Aldegonde rejoint Husserl à Kappel près de Neustadt. Elle relate dans son journal leurs promenades en montagne et leurs conversations :

« Husserl m'a longuement parlé de l'Allemagne. Il évoque la haine imméritée qui déferle sur les Juifs comme un fleuve de boue. Il en souffre beaucoup, car il se sent foncièrement Allemand. »

« ... Il me dit un jour :
— Je viens de recevoir une revue américaine dans laquelle un jésuite — alors l'un des vôtres, sœur Aldegonde ! — me présente comme un philosophe chrétien. Je suis indigné par le zèle intempestif de cette initiative dont je ne savais rien. Comment peut-on faire cela sans me consulter ?
« Je ne suis pas un philosophe chrétien. Veillez, je vous prie, à ce que je ne sois pas présenté comme tel après ma mort. Je vous l'ai déjà dit souvent : ma philosophie, la phénoménologie, ne veut être rien d'autre qu'une voie, une méthode permettant à des hommes, qui se sont éloignés du christianisme et de l'Eglise, de retourner vers Dieu. »

Printemps 1937.

« Quel est le fondement du christianisme comme science ? Il porte l'évidence en soi ; ni toujours ni partout une évidence absolue. Mais nous devons aussi reconnaître des évidences relatives, sinon nous désagrégeons la vie, nous corrompons la vie chrétienne, qui porte en elle l'évidence de sa crédibilité.
« Nous pourrions aussi approcher le christianisme par la science ; l'administration chrétienne, le droit canon et les scolastiques l'ont fait. Mais la vie vécue importe davantage. Dans ce contexte, il faut donc tenir compte des évidences relatives.
« La prière n'est-elle pas la preuve la plus sûre, la plus vraie de la vie religieuse ? Naturellement, je ne parle pas du bavardage. Pourtant la prière ne tombe pas sous le sens comme une preuve absolue.
« Il en va de même pour la science. Durant les trois derniers

siècles, sa source d'erreur (et même les scolastiques n'ont pas été épargnés) a été de perdre ses racines, à savoir le fond de l'être, la seule chose existant vraiment. *(Alleinwarhaftesseienden.)* »

23 mars 1937.

Le 10 août 1937, le ménage Husserl fête ses noces d'or. Ce même jour, Husserl tombe en glissant dans sa salle de bains. Cette chute est à l'origine d'une blessure interne, qui entraînera une pleurésie avec épanchements et huit longs mois de souffrance.

« Husserl se plaint rarement, note sœur Aldegonde, il mange à peine et souffre en silence. Sa survie est un mystère pour le médecin. Son corps dépérit mais son âme garde toute sa force. »

Automne 1937.

« Lorsque j'arrive, Husserl est levé. Il se levait parfois le soir lorsqu'il se sentait mieux. Il prend mes deux mains et les tient serrées tandis qu'il parle. Dehors, un beau jour d'automne touche à sa fin. Le silence règne. Le soleil disparaît lentement derrière les Vosges. La silhouette de la cathédrale [de Fribourg-en-Brisgau] se détache sur un ciel d'or. Les yeux de Husserl reflètent la lumière du crépuscule.

« Il interrompt le profond silence qui nous enveloppe. D'une voix basse et pressante, les yeux fixés sur la cathédrale, il murmure : Je ne savais pas qu'il était si dur de mourir. Je me suis attaché, ma vie durant, à écarter toute vanité, toute futilité de ma route. Au moment précis où, poursuivant ma propre voie, j'ai pris clairement conscience des responsabilités de ma tâche, notamment durant les conférences de Vienne et de Prague, et de la publication de mon dernier ouvrage : *la Crise des sciences européennes et la phénoménologie transcendantale* (Belgrade, 1936), alors que pour la première fois je sortais de moi-même pour prendre un nouveau départ, j'ai dû m'arrêter et laisser ma tâche inachevée. Juste au moment où je me sentais prêt à recommencer...

« Je m'étais figuré une si belle fin de vie une fois ma tâche, une tâche mondiale, terminée ayant montré à l'homme, à travers la phénoménologie, une nouvelle manière d'être et de prendre ses responsabilités après l'avoir libéré de son moi et de ses futilités.

« ... J'aurais voulu, quelques instants avant la mort, me tourner entièrement vers le Nouveau Testament. Je n'aurais plus lu d'autre livre. Quelle belle fin de vie que de pouvoir dire : j'ai fait mon devoir, je peux désormais apprendre à me connaître moi-même. Personne ne peut se connaître sans lire la Bible.

« Votre mission, ma chère enfant (puissiez-vous vous y tenir), c'est de conduire de jeunes âmes vers l'amour, de les gagner à l'amour, de les protéger du plus grand danger de l'Eglise, à savoir la vérité stérile et le formalisme rigide. Promettez-moi de ne jamais rien dire seulement parce que d'autres l'ont dit. Les grandes et saintes prières de l'Eglise courent le danger permanent d'être vidées de leur substance, si elles ne sont pas personnellement vécues.

« L'Eglise rejettera mon œuvre — (peut-être pas les jeunes dans l'Eglise) — car elle voit en moi le plus grand ennemi de la scolastique.

« Puis d'ajouter avec un léger sourire ironique :

— Oui, je vénère saint Thomas, mais il n'était pas un néo-scolastique... »

Les derniers mois (décembre 1937 - avril 1938).

Durant les mois d'hiver, Husserl dépérit visiblement. En mars 1938, son état s'aggrave. Il dort beaucoup, puis repose dans un demi-sommeil sans toutefois perdre conscience. Il semble souvent se parler à lui-même ou s'adresser à un interlocuteur invisible.

« Très souvent, lorsque j'arrive en fin de journée, je le trouve somnolent et je m'assieds en silence près de son lit attendant son réveil. Une grande joie se lit alors sur son visage de plus en plus diaphane et spiritualisé. Il parle peu. Il appartient déjà à un monde où les mots ne comptent guère, mais il n'en a pas besoin pour exprimer son amitié. »

« Durant la nuit du 16 au 17 mars 1938, il prononça des paroles que j'ai tout de suite notées.

« Il déclara sans préambule : Avant tout commencement se trouve le Moi, qui est, qui pense et cherche des rapports entre le passé, le présent et l'avenir. Mais justement le problème difficile est de savoir ce qui est avant le commencement...

« Comme il me semblait que ces paroles venaient moins du

phénoménologue, appelé à remplir une « tâche mondiale », que de l'ami, du vieux maître appelé bientôt à paraître devant la Face de Dieu, je lui ai répondu :

— Au commencement est Dieu, comme l'écrit Jean, au commencement est le Verbe et le Verbe est en Dieu et le Verbe est Dieu.

« Il dit alors :

— Oui, c'est là un problème que nous ne pourrons parvenir à résoudre que peu à peu...

« Et d'ajouter :

— La philosophie est la volonté passionnée de connaître l'être. Ce que j'ai écrit dans mes livres est très difficile. Toute philosophie est une philosophie des origines, une philosophie de la vie et de la mort. Nous recommençons toujours, nous retournons au point de départ. Je me suis efforcé d'aller du subjectif à l'être. Quand nous réfléchissons sur tout cela, c'est toujours le Moi que nous posons et non pas une chose, un arbre ou une maison.

« Il s'était endormi. Une récente conversation me revint alors en mémoire. Nous avions évoqué ses cours et je lui avais demandé :

— Pourquoi ne nous avez-vous jamais parlé de Dieu ? J'avais perdu la foi à l'époque et je cherchais Dieu à travers la philosophie. De leçon en leçon, j'attendais de trouver Dieu à travers votre philosophie. (Cette question je n'avais pas osé la lui poser comme étudiante !)

« Il me répondit :

— Pauvre enfant, combien je vous ai déçue et comme je suis responsable de n'avoir pu vous donner ce que vous cherchiez ! Je n'ai jamais présenté quelque chose d'achevé dans mes cours. J'ai toujours continué de philosopher sur des recherches qui me passionnaient. Maintenant, je pourrais faire des cours qui apporteraient réellement quelque chose aux jeunes. Mais maintenant il est trop tard ! »

« Dans l'après-midi du jeudi saint, le 14 avril 1938, après avoir lu une lettre que sa fille, Elli, venait de lui envoyer des Etats-Unis, Husserl se mit à parler devant son infirmière :

— Papa, dit-il, aborde son centième semestre à l'Université (ce chiffre était objectivement exact). Il lui a été donné de faire de nouveaux progrès. Il entame une période de travaux, sous une impulsion créatrice, qui devraient lui permettre d'aboutir d'ici deux ans à des découvertes essentielles. Et là s'arrêteront ses activités.

« Puis il reprit : La vie et la mort sont et seront l'ultime aspiration de ma philosophie. J'ai vécu en philosophe, je veux essayer de mourir en philosophe. Ce qu'il m'a été donné de faire, ce qui peut encore m'arriver dépend de Dieu :

« Il parlait tout éveillé mais semblait traduire pour un auditoire terrestre ce qu'il avait entendu dans son sommeil. Son raisonnement était logique, mais ce n'était plus la même logique que celle du professeur Edmond Husserl. Il se tut un moment, puis, son âme semblant revenir de l'au-delà dans son corps, il remarqua la sœur présente à ses côtés et se mit à l'interroger sur la mort qu'il sentait approcher :

— Est-il possible de bien mourir ?

— Oui, répondit la sœur, tout à fait en paix.

— Et comment est-ce possible ?

— Par la grâce de Notre Seigneur Jésus-Christ.

— Et où demeurent les pensées ?

— En Dieu.

— Vous ne devez pas croire que j'aie peur des souffrances, mais elles me séparent de Dieu. »

« Il a sûrement beaucoup souffert de ne pouvoir mener ses travaux à terme. Il portait en lui les prémices d'un nouvel ouvrage philosophique, mais n'avait plus la force d'en formuler les idées. Jusque-là, sa vie, sa souffrance et sa préparation à la mort semblaient empreintes de sagesse antique. On le sentait accablé par les malheurs de sa patrie, on le voyait avancer seul et sans crainte vers la mort, comme Socrate.

« Enfin, d'une manière d'abord imperceptible et hésitante puis de plus en plus sûre et nette, sa voie s'orienta vers la pensée et la foi chrétiennes.

« Vers 9 heures du soir, le jeudi saint, il dit à sa femme :

— Dieu m'a reçu dans sa grâce, il m'a permis de mourir.

« A partir de ce moment, Husserl ne dit plus mot de son œuvre philosophique, comme s'il se sentait libéré et déchargé de ses travaux. »

LES PERTES JUIVES EN EUROPE [1]

« Pour se faire quelque idée des pertes subies par les Juifs d'Europe, il faut se représenter qu'il y avait en Europe en 1914 10 000 000 de Juifs ; en 1939, 9 500 000 ; en 1945, 2 750 000 ; en Allemagne leur nombre a passé de 564 000 en 1925 à 15 000 à la fin de la guerre, soit une perte de 96 %.

« La machine à destruction nazie se mettait en marche presque automatiquement dès qu'un pays était conquis. N'avaient droit à conserver la vie que les Juifs qui, d'une façon ou d'une autre, pouvaient être utiles à la machine de guerre allemande.

« Le nombre de Juifs morts ou supprimés s'élève à 6 093 000, c'est-à-dire 73 %, dont 5 300 000 appartenaient à la population juive civile, en y comprenant les hommes, femmes, vieillards et enfants...

« Sur le continent européen, il n'y eut à proprement parler que la Hollande qui, avec une population de 9 000 000 d'habitants, réussit à cacher le nombre relativement grand de 40 000 Juifs dont 15 000 purent se sauver. Les chiffres hollandais sont instructifs pour bien comprendre ce qu'est la brutalité méthodique nazie ; voilà la statistique brute établie par un Juif hollandais qui a survécu à l'occupation :

---

1. Dossiers de la *Documentation catholique,* avril 1932, n° 1118. Document émanant de Kurt R. Grossmann, paru le 13 novembre 1951 dans *Stuttgarter Zeitung.*

Nombre de Juifs hollandais au début de l'occupation allemande	125 000
Juifs réfugiés, dont 75 % venant d'Allemagne	20 000
Total	145 000

Emigrés	20 000
Déportés	85 000
Cachés (chez les chrétiens hollandais)	40 000
Emprisonnés et tués	25 000
Juifs survivants en Hollande	15 000

Revenus d'émigration	5 000
Nombre de Juifs en Hollande en 1946	20 000

« Pour bien mesurer les pertes physiques des Juifs, il faut exclure tous les pays européens qui n'ont été ni conquis ni occupés par Hitler, comme une partie de la Russie soviétique, avec 1 000 000 de Juifs ; l'Angleterre, avec plus de 300 000 ; la Suisse avec 40 000 ; le Portugal, l'Espagne et la Finlande, laquelle n'obéit pas aux injonctions de Hitler d'avoir à supprimer sa population juive.

« Dans les pays que Hitler a conquis ou contrôlés, il y avait 8 295 000 Juifs, dont 6 093 000 *sont morts*, soit 73,4 %.

« Par rapport au *total* de la population juive européenne, qui était en 1939 de 9 500 000, 63 % ont perdu la vie [2]. »

---

2. Le tribunal international de Nuremberg a évalué à six millions le nombre des Juifs exterminés par les nazis au cours de la dernière guerre.

ŒUVRES PRINCIPALES D'EDITH STEIN

Les œuvres principales d'Edith Stein n'ont pu paraître de son vivant, étant donné l'interdit qui frappait les publications d'origine juive en Allemagne [1].

C'est en 1950-1951 que les éditeurs Herder à Fribourg-en-Brisgau et Nauwelaerts à Louvain ont entrepris de publier conjointement ses œuvres majeures en 5 volumes, soit :

Kreuzeswissenschaft (la Science de la Croix), 1 volume ;

Endilches und Ewiges Sein (Etre fini et Etre éternel), 1 volume ;

Untersuchungen über die Wahrheit (la traduction en langue allemande du *De Veritate* de saint Thomas), 2 volumes ;

Pädagogische Studien (Divers essais pédagogiques réunis), 1 volume.

A l'exception de la traduction de *De Veritate,* publiée en 1931 et 1932 chez Borgmeyer à Breslau, et de quelques essais pédagogiques, ces textes ont paru à titre posthume. La révision de l'œuvre d'Edith Stein, en vue de cette publication, a été assumée par M. le professeur L. Gelber, chargé des *Archives Husserl* à Louvain, et le R. P. Romaeus Leuven, O.C.D., en collaboration avec les éditeurs.

Ordre de composition.

Voici l'ordre dans lequel ces écrits et d'autres de moindre importance ont été composés :

De 1922 à 1929, diverses études qui ont paru dans les *Annales Husserl ;*

En 1928, la traduction d'un recueil des premières œuvres de

---

1. Elles auraient pu paraître sous un nom d'emprunt, mais E. Stein s'y refusa.

Newman, *Briefe & Tagebücher bis zum Ubertritt zur Kirche* ;

En 1929, *De la phénoménologie de Husserl à la philosophie de saint Thomas,* chez Niemeyer, à Halle ;

De 1931 à 1935, la traduction du *De Veritate,* à laquelle vient s'ajouter un Index qui parut en 1935 ;

En 1931, *Das Ethos der Frauenberufe* (Ethique de la vocation féminine), chez Haas & Grabherr à Augsbourg ; cet ouvrage, auquel sont venues s'ajouter des études rédigées pour le *Benedik-tinischen Monatsschrift zur Pflege religiösen und geistigen Lebens* (une publication de l'abbaye de Beuron), a été réédité chez Schnell & Steiner à Munich, en 1949, sous le titre *Frauenbildung und Frauenberufe* (Vocation et formation de la femme) ;

De 1932 à 1933 Edith Stein travaille à un essai *Die ontische Struktur der Person und ihre erkenntnis-theoretische Problematik,* qui restera non publié mais servira de base à ses leçons de Munster ;

De 1934 à 1936, la grande étude d'Edith Stein, *Akt und Potenz,* restée inachevée, donne naissance après son noviciat au Carmel à son livre principal : *Endliches und Ewiges Sein ;*

Durant la même période, elle compose de petites brochures sur les saints de l'Ordre : *Vie de sainte Thérèse d'Avila,* en 1934, qui paraît à Cologne, Kanisius-Verlag ; *Vie de sainte Thérèse Marguerite Redi* en 1934, Rita-Verlag, à Wurzbourg ; elle poursuit la rédaction de l'*Histoire de la famille Stein,* dont le manuscrit non publié se trouve aux *Archives Husserl* à Louvain ;

En 1936, son texte sur *Das Gebet der Kirche* (la Prière de l'Eglise), rédigé pour l'Académie Saint-Boniface, paraît dans la collection *Ich lebe und Ihr lebt,* à Paderborn ;

Un petit opuscule sur *Das Weinachtsgeheimnis* (le Mystère de Noël), qui date de la même époque ne sera publié qu'en 1948, au Verlag des Borromaüsvereins, à Bonn ;

De 1941 à 1942, elle poursuit la rédaction de *Kreuzeswissen-schaft,* son essai sur saint Jean de la Croix, qui est interrompue par son arrestation et sa déportation ;

Dans le recueil *la Phénoménologie,* Journée d'études de la société thomiste, Editions du Cerf, Juvisy, 1932, on peut trouver le texte allemand et français de ses interventions orales au cours des débats ;

Les *Archives Husserl,* à Louvain, possèdent les manuscrits de plusieurs de ses œuvres, ainsi que des lettres inédites et l'original de l'histoire de sa famille. Il est malheureusement impossible d'obtenir l'autorisation de consulter ces textes.

LISTE DES OUVRAGES CITES

Edith Stein, Lebensbild einer Philosophin und Karmelitin, par sœur Thérèse-Renée du Saint-Esprit, O.C.D., chez Glock & Lutz à Nuremberg, 1952, 6e édition ;

Walls are crumbling (Les murs s'écroulent), par J.-M. Oesterreicher, chez Devin Adair Company, New York, 1952 ;

Edith Stein, « Die vom Kreuz Gesegnete », par Elisabeth Kawa, chez Morus-Verlag à Berlin, 1953 ;

Articles sur Edith Stein :

Ecce Homo, pour le dixième anniversaire de la mort d'Edith Stein, par sœur Aldegonde Jaegerschmid, dans *Die Christliche Frau,* Cologne, 1952 ;

Edith Stein, un radio-message, par sœur Aldegonde Jaegerschmid, radio-Stuttgart, 1952 ;

Edith Stein, par Maria Bienias, dans *Katholische Frauenbildung,* cahier II, novembre 1952, à Paderborn ;

Edith Stein, pour le dixième anniversaire de sa mort, par le Père Eric Przywara, S.J., dans *Die Besinnung,* cahier 4-5, 1952, éd. Glock & Lutz, Nuremberg ;

Edith Stein, En souvenir, *Herder Korrespondenz,* août 1952, Fribourg-en-Brisgau ;

Edith Stein, par le Père Ignace Bromberg, O.P., *Vie spirituelle* (*Ons Geestelijk Leven*), édition hollandaise de novembre 1950.

LA GRANDE ŒUVRE D'EDITH STEIN [1]
PAR Aloïs Dempf

La philosophie d'Edith Stein est le combat spirituel d'une âme sanctifiée qui cherche à comprendre le sens du monde et de la vie humaine. Il lui fallait bien des dons de l'esprit et plusieurs dons du Saint-Esprit pour accomplir son œuvre. Tout d'abord le don de comprendre et de s'exprimer, le don féminin d'écouter les grands maîtres. Elle a pu être disciple de deux maîtres, le premier, Edmond Husserl, le second, Thomas d'Aquin, et traduire les vues de l'un dans le langage de l'autre et vice versa. Elle a été une grande traductrice ; quand elle a appris à connaître saint Thomas, elle a réussi à rendre ce qu'elle regardait comme son chef-d'œuvre créateur, le *De Veritate*, dans une langue intelligible même aux philosophes modernes.

Et elle a su merveilleusement enseigner. Enseigner est devenu aujourd'hui, en notre temps de spéculation et de confusion de concepts, un don très rare. Il y faut, plus encore que dans les recherches scientifiques, un don de l'Esprit saint : la patience. Ce n'est que lorsque l'œuvre d'Edith Stein sera traduite dans la langue française, où la clarté est portée à son plus haut point, qu'elle donnera son plein rayonnement. Mais déjà son œuvre allemande a servi à clarifier l'enseignement. Edith Stein se mou-

---

1. Etude de M. Aloïs Dempf, professeur à la Faculté de philosophie de Munich. Chassé de l'Université de Vienne par les nazis au moment de l'Anschluss, M. Dempf reprit son enseignement en 1947.

vait avec une égale aisance soit dans le monde de la langue grecque, soit dans le monde des langues latine et française. Sa double formation lui a permis de servir la philosophie scolastique en clarifiant des questions longtemps disputées.

Elle possédait à la fois le don humain d'aimer inconditionnellement le réel, et le don sanctifiant d'aimer la vérité. C'est cela qui l'a conduite de son premier maître au second, du phénoménologue, qui voulait se limiter à l'étude de la perception du réel et des certitudes immédiates, au métaphysicien, qui scrute les essences, et l'être qui est le fond de tout.

Cet Etre, c'est le Dieu personnel, le Dieu Trinité de la révélation ; et dès lors l'amour de la vérité devient un amour de Dieu, un amour inconditionné de la Trinité qui se manifeste elle-même. En ce sens très précis, la philosophie d'Edith Stein est une philosophie chrétienne. La manifestation du Christ, du Verbe, est la vérité suprême. C'est aussi le mystère plus profond, qui ne se découvrira qu'au regard des élus. Mais cette vérité révélée a toujours été un stimulant qui a porté les chrétiens à pénétrer plus profondément que les païens les choses naturelles, notamment la personnalité et la vie spirituelle de l'homme. Essayer de comprendre, avec toutes les ressources dont nous disposons, ce que la révélation nous dit du sens de la vie, afin de le rendre accessible même à ceux qui sont égarés par de fausses philosophies, voilà ce qu'on appelle la foi cherchant à comprendre : *fides quaerens intellectum.*

La grande œuvre d'Edith Stein sur *l'Etre fini et l'Etre éternel* essaie en quelque sorte de reprendre, dans l'ordre inverse, les vérités que déroule saint Thomas dans le *De Veritate.* Saint Thomas part de la vérité et de la science divines et aboutit, à propos de la connaissance humaine, à un unique principe de la philosophie spéculative : *cognoscere sequitur esse,* le connaître résulte de l'être. De telle sorte qu'en Dieu toutes choses sont Dieu, en l'homme toutes choses se trouvent humainement *in Deo amnio Deus, in homine omnia humaniter.*

Edith Stein part des choses qui nous sont proches. Elle a bien vu qu'il fallait passer de la méthode phénoménologique à l'ontologie, des perceptions immédiates à leur dernier fondement. Et c'est ainsi qu'elle a justifié son passage de Husserl à Thomas d'Aquin. Elle n'a pourtant jamais cessé de partir de l'immédiat. Elle a eu, à certains endroits, à compléter saint Thomas plus encore qu'à le corriger. Elle garde constamment le souci, en cherchant à manifester la révélation, de faire valoir toutes les lumières avec lesquelles il fallait l'aborder. Elle commence toujours par une description exacte des phénomènes, pour passer ensuite à ce qu'ils recouvrent d'ontologique, et montrer enfin des réalités créées à leur exemplaire divin. D'un bout à l'autre son œuvre se présente comme un réalisme critique.

Il n'est pas possible d'entrer ici dans les précisions : la distinction entre l'acte et la puissance, la tension entre l'être et l'agir, la distinction entre les formes déployées dans l'espace et la forme spirituelle qui est l'âme de l'homme. C'est seulement après toutes ces élucidations qu'on pourra parler du *sens de l'être*.

Il fallait auparavant approfondir les différences qui distinguent l'être fini de l'Etre éternel.

En l'Etre éternel, aucune division ; en l'être fini, au contraire, il y a composition métaphysique d'essence et d'existence. La notion d'être se réalise analogiquement, c'est-à-dire proportionnellement, en passant de l'être créé à l'Etre incréé.

Il est très beau qu'Edith Stein cherche à comprendre tout l'être créé en partant de l'image du Créateur qu'est la personne humaine. Elle tentera de « dépasser » saint Thomas en disant que dans l'homme c'est la personnalité qui est principe d'individuation. C'est à partir de l'homme, qui est *l'image* de la Trinité, qu'elle éclairera les *vestiges* de la Trinité cachés au sein des choses. On touche alors au point suprême de son œuvre.

Elle termine par un dernier chapitre [2] où elle rend certains philosophes de notre temps attentifs à la nécessité de parler non seulement de *l'existence* de l'homme mais de son *essence*.

---

2. C'est ce dernier chapitre dont nous avons dit que les éditeurs l'ont intégré à l'ouvrage, où il figure en diverses notes, relatives surtout à la philosophie de Heidegger, voir ch. VIII, pp. 103 et suivantes.

LETTRE D'EDITH STEIN A SA SŒUR ERNA

Köln - Lindenthal, 4.VI.38
Dürenerstr. 89

Meine liebe Lina,

Dir und den Kindern
danke ich Dir herzlich für Euren lieben Brief.
Ich freute mich sehr, dass Du mir zu
meinem Festtag schriebst; auch, dass Du
den Bericht von Fr. Dr. Günther gleich an
Rose weitergegeben hast. Ich bekam umgehend
einen Brief von ihr und war erst ganz
bestürzt, auf welchem Wege sie so schnell
meinen neuen Namen erfahren hätte. Indes-
sen wird sie vielleicht auch Prof. Koch
gemeldet und Euch von der Feier er-
zählt haben. Aber es kann doch keine
Schilderung wiedergeben, wie schön es war.
Wir bekommen immer noch Dankbriefe
von Gästen, die einen ganz tiefen Eindruck
mitgenommen haben. Ich denke, es wird Dir

wieder etwas recht schwer ist, dann
benütze die stille Sprechstunde, um
mir zu schreiben. Ich freue mich immer,
wenn etwas kommt.

Für die Adresse werdet Ihr
Euch wohl allmählich an meinen
neuen Namen gewöhnen (Teresia
Benedicta a Cruce, O.C.D. - d.h.
Ordinis Carmelitarum Discalceatarum).
Wenn Ihr sonst lieber den alten ge-
braucht, so versteht man das gut
und nimmt es nicht übel. Ihr
werdet aber auch mir nicht böse
sein, wenn ich mich nun so unter-
zeichne, wie mich meine Mitschwestern
nennen.

In herzlicher Liebe
Eure Schwester
Benedicta

TABLE

ACHEVÉ D'IMPRIMER LE
17 AVRIL 1984, SUR LES
PRESSES DE LA SIMPED
A ÉVREUX, POUR PLON,
ÉDITEUR A PARIS

Numéro d'éditeur : 11152
Numéro d'impression : 7533
Dépôt légal : mars 1984